TOGETHER STRONGER

GORAU CHWARAE CYD CHWARAE

The Official Inside Story Of Wales'
Extraordinary Euro Journey

Trinity Mirror Sport Media

Editor: Harri Aston
Design and Production: Ben Renshaw, Adam Ward, Gary Gilliland
Words: Harri Aston and Chris Brereton

Cover by Ben Renshaw

Images: Propaganda, PA Images

Published by Trinity Mirror Sport Media
Managing Director: Steve Hanrahan
Commercial Director: Will Beedles
Executive Senior Art Editor: Rick Cooke
Executive Editor: Paul Dove
Marketing and Communications Manager: Claire Brown

Published in hardback in Great Britain in 2016.
Published and produced by: Trinity Mirror Sport Media,
PO Box 48, Old Hall Street, Liverpool L69 3EB.

ISBN: 9781910335567

Printed by Bell & Bain

TOGETHER STRONGER

GORAU CHWARAE CYD CHWARAE

The Official Inside Story Of Wales'
Extraordinary Euro Journey

CONTENTS/CYNNWYS

Wales manager Chris Coleman gives out instructions from the touchline during our semi-final match against Portugal

Rheolwr Chris Coleman yn rhoi cyfarwyddiadau i'r chwaraewyr yn ystod ein gêm gynderfynol yn erbyn Portiwgal

MY PROUDEST MOMENT

I am delighted to have been given the opportunity to write the opening words for this fantastic book reminding us all about our memorable summer in France.

Having lived and breathed the tournament, it is ironic that so many of these images are new to me. I would imagine that the players and staff are also seeing some of these for the very first time.

It was incredible to become aware of the impact our success at UEFA Euro 2016 had on everyone, whether you were supporting us back home or fortunate enough to travel out to one of our games in France.

We were based in Dinard, a lovely part of Brittany, which we chose deliberately for its quiet location, the warmth of the people, the welcome and the tremendous facilities.

During our time in camp, while we were aware of the incredible support, I don't think any of us really realised the true extent of the effect our success was having on the people back home.

The impact only really dawned on everyone once we arrived back in Cardiff and saw the reception that was awaiting us. Since then I have been struck by the genuine warmth of all the well-wishers and everyone thanking us for the pleasure we gave them.

For myself there were so many highs. I know that as a football manager and a group of players the priority was to get the results and to progress. But as a group we were also fully aware that the country had waited a long time for this and everyone wanted to enjoy it.

Personally, I did not want to look back and say to myself I wish I had done this or done that. That is why, in embracing the tournament, we achieved so much both on and off the field and succeeded in so much more than just the football.

Every game was a highlight. However, the moment we walked out onto the pitch in Bordeaux to be greeted by a wall of red and to hear the anthem, sung like it had never been sung before, is a moment I will never forget. This is what we as a group had been striving for. We had arrived on the international stage. I was a very proud manager standing on the touchline.

There was the celebration of winning the opening match. Then there was the huge disappointment at the nature of the defeat against England. The group responded positively and gave to my mind the performance of the tournament in the win over Russia.

We witnessed the tension of the hour-and-a-half against Northern Ireland and the wonderful comeback against Belgium, featuring two goals of the tournament from Hal Robson-Kanu and Sam Vokes.

In many people's eyes we had exceeded expectations, but defeat was hard to take against Portugal. They were the better team on the night, but I am still convinced we were good enough to have won the tournament.

I don't think anyone will ever forget these few weeks in France. There are wonderful memories, magical stories, shared with a great group of people but also shared with the wonderful people of Wales.

This book is a perfect reminder of what was achieved during this fantastic summer.

I have always said that the proudest honour for any manager is to manage your country. I have been fortunate enough to achieve that and to do it at a major tournament.

It is certainly one trip to France that I will never forget.

Chris Coleman, 2016

FY MOMENT FWYAF BALCH

Rwy'n falch tu hwnt o fod wedi cael y cyfle i ysgrifennu geiriau agoriadol y llyfr arbennig hwn i'n hatgoffa ni gyd am ein haf bythgofiadwy yn Ffrainc.

Ar ôl byw ac anadlu'r bencampwriaeth, mae'n eironig bod nifer o'r lluniau hyn yn newydd i mi. Rwy'n dychmygu y bydd y chwaraewyr a'r staff hefyd yn gweld rhai o'r rhain am y tro cyntaf.

Roedd yn brofiad anhygoel pan ddaethon ni i ddeall effaith ein llwyddiant yng ngemau Euro 2016 UEFA ar bawb, os oeddech chi'n cefnogi ni adref neu'n ddigon ffodus i fod wedi teithio i un o'n gemau ni yn Ffrainc.

Roedd ein cartref dros dro yn Dinard, ardal hyfryd o Lydaw, a ddewiswyd gennym yn fwriadol am ei leoliad tawel, cynhesrwydd ei phobl, y croeso a'r cyfleusterau ardderchog.

Yn ystod ein hamser oddi cartref, er ein bod yn ymwybodol o'r gefnogaeth aruthrol, doedd yr un ohonom yn llawn sylweddoli gwir effaith ein llwyddiant ar ein cefnogwyr nôl yng Nghymru.

Dim ond ar ôl cyrraedd nôl i Gaerdydd y daeth hi'n glir i bawb, gyda'r croeso anghredadwy oedd yn ein haros. Ers hynny, mae cynhesrwydd gwirioneddol pawb sy'n dymuno'n dda i ni ac sy'n diolch i ni am y pleser gawson nhw o'n perfformiad, wedi creu cryn argraff arnaf i.

I mi, roedd cynifer o uchafbwyntiau. Rwy'n gwybod fel rheolwr pêl-droed a grŵp o chwaraewyr, y flaenoriaeth yw'r canlyniadau a chamu ymlaen yn y bencampwriaeth. Ond fel grŵp, roedden ni hefyd yn llwyr ymwybodol bod y wlad wedi aros cyhyd am hyn ac roedd pawb am fwynhau'r achlysur.

Yn bersonol, doeddwn i ddim am edrych yn ôl a dweud wrthyf fi fy hun, trueni na wnes i hyn neu'r llall.

Dyna pam, drwy ymroi fel y gwanaethon ni i'r bencampwriaeth hon, fe gyflawnon ni gymaint ar y cae ac oddi arno, a llwyddo y tu hwnt i fyd y bêl yn unig.

Roedd pob gêm yn uchafbwynt. Serch hynny, roedd cerdded ar y cae yn Bordeaux a gweld y mur coch a chlywed yr anthem yn cael ei chanu fel na chafodd ei chanu erioed o'r blaen, yn foment bythgofiadwy i mi. Dyma'r hyn roedden ni fel grŵp wedi bod yn gweithio tuag ato. Roedden ni wedi cyrraedd y llwyfan rhyngwladol. Roeddwn i'n rheolwr balch iawn yn sefyll yno ar yr ystlys.

Roedd dathlu mawr ar ôl ennill y gêm agoriadol. Roedd siom aruthrol yn sgil colli yn y fath fodd i Loegr. Ymatebodd y grŵp mewn ffordd gadarnhaol, ac i mi, y perfformiad gorau yn y bencampwriaeth oedd ein buddugoliaeth dros Rwsia.

Roedden ni'n dyst i dyndra'r awr a hanner yn erbyn Gogledd Iwerddon a'r fuddugoliaeth wych yn erbyn Gwlad Belg, gyda dwy o goliau gorau'r bencampwriaeth gan Hal Robson-Kanu a Sam Vokes. I lawer o bobl, roedden ni wedi rhagori ar unrhyw ddisgwyliadau, ond roedd colli yn erbyn Portiwgal yn anodd iawn. Nhw oedd y tîm gorau ar y noson, ond rwy'n dal i fod yn argyhoeddedig ein bod yn ddigon da i fod wedi gallu ennill y bencampwriaeth.

Fydd neb byth yn anghofio'r ychydig wythnosau hyn yn Ffrainc. Mae yna atgofion melys iawn, straeon hudolus, wedi'u rhannu gyda grŵp anhygoel o bobl ond hefyd gyda phobl wych y wlad hon. Mae'r llyfr hwn yn gofnod perffaith o'r hyn a gyflawnwyd yn ystod yr haf arbennig hwn. Rwyf wedi dweud erioed mai anrhydedd mwyaf unrhyw reolwr yw rheoli'ch gwlad. Rwyf wedi bod yn ddigon ffodus i gyflawni hyn, a gwneud hynny mewn pencampwriaeth o bwys.

Bu'n haf bythgofiadwy i mi heb os.

Chris Coleman, 2016

THE **TIME** OF OUR **LIVES**

It was the start of the most amazing month of our sporting lives. Surrounded by a sea of red in the Bordeaux sunshine, the first Wales team to appear in a major finals for nearly 60 years were greeted with a magnificent show of support as they took to the field against Slovakia.

After waiting so long to grace an international tournament, seeing Ashley Williams lead out the players for our opening match of Euro 2016 was a special moment that touched the hearts of every supporter.

In the weeks that followed, Chris Coleman's men would create many more unforgettable memories as they embarked on an extraordinary adventure that would take them to within one match of the final, lifting a whole nation on the way.

A huge army of fans followed the team in France, where their passionate and noisy support helped the players reach ever-greater heights. Back home, fan zones sprang up across the country and record TV audiences were reported as our run in the competition captured the imagination of the Welsh public.

It was an amazing turnaround in fortunes for a football team that has had little to shout about since the 1958 World Cup, the only previous time Wales have qualified for a major tournament.

Back then, Elvis Presley was top of the charts, the space race had just begun and Sir Edmund Hillary had recently reached the South Pole.

Wales reached the quarter-finals in Sweden before being knocked out by Brazil, when a goal from a 17-year-old Pele ended our World Cup dreams.

While good fortune played a part in qualifying for that tournament, with the Dragons beating Israel in a play-off after other teams refused to play them for political reasons, we certainly received more than our fair share of bad luck in the decades to come despite famous victories over the likes of Brazil, Germany, Italy and Spain.

The "forgotten" team of 1976 reached the quarter-finals of the European Championship having finished top of a qualification group containing Hungary, Austria and Luxembourg. But in those days only the semi-finalists went on to contest the finals, and Wales lost the the last-eight tie against Yugoslavia in controversial circumstances amid disallowed goals and dubious penalty decisions.

A case of mistaken identify proved a fatal blow to our qualification hopes for the 1978 World Cup, with Scotland wrongly awarded a penalty for handball, while an inferior goal difference was all that stood in our way of reaching the finals four years later. The death of opposition manager Jock Stein after the final whistle overshadowed our 1-1 draw with Scotland in 1985, as another controversial penalty cost us a World Cup finals play-off match against Australia, and Paul Bodin will forever be haunted by his missed spot-kick against Romania as we narrowly lost out on a place at USA '94.

A decade later, a play-off loss to Russia saw us suffer qualification heartache once again as we failed to reach the Euros in Greece, and then the loss of a core of senior players to retirement saw the team struggle to make a mark under John Toshack.

But his decision to forge a new future and expose a raft of youngsters to the rigours of international football would eventually reap huge rewards. Of the 14 players who featured in that historic match against Slovakia, nine made their debuts under the former Real Madrid coach, including Ashley Williams, Aaron Ramsey and Gareth Bale.

The job of transforming a group of talented young players into a winning team would fall to former captain Gary Speed. He oversaw a renaissance in the team's fortunes, with four wins in five matches propelling Wales an astonishing 72 places up the world rankings, just three months after dropping to an all-time low of 117.

Having brought back respectability and optimism to Welsh football, Speed's life was tragically cut short, but his spirit lives on and our fans regularly chanted his name throughout our adventure in France. He will never be forgotten.

Coleman, a childhood friend of Speed, took over the manager's job in unimaginable circumstances but overcame a difficult start to guide his country through its most successful era.

Together Stronger is a celebration of this golden period for Welsh football. Over the following pages, relive our historic qualification campaign and the stunning run that followed, with behind-the-scenes images of the players at work and play providing a fascinating insight into their unbreakable team spirit.

We also feature the spectacular homecoming celebrations that greeted the squad on their return to Wales and look at how their success can inspire a new generation of players.

As Coleman said, Euro 2016 was only the start of the journey, and you should never be afraid to have dreams.

AMSER **GORAU'N** BYWYD

Dyna ddechrau mis mwyaf anhygoel ein bywydau pêl-droed. Wedi eu hamgylchynu gan fôr o goch yn heulwen Bordeaux, cafodd y tîm cyntaf o Gymru i ymddangos mewn rownd derfynol twrnamaint mawr am bron i 60 mlynedd eu croesawu gan ddangosiad godidog o gefnogaeth wrth iddyn nhw gamu ar y cae i wynebu Slofacia.

Wedi aros cyhyd i gyrraedd twrnamaint rhyngwladol, roedd gwylio Ashley Williams yn arwain y chwaraewyr ar gyfer ein gêm agoriadol Ewro 2016 yn foment a gyffyrddodd galonnau pob cefnogwr. Yn yr wythnosau i ddilyn, aeth dynion Chris Coleman ati i greu nifer o atgofion bythgofiadwy wrth iddynt ddechrau ar antur anhygoel a fyddai'n eu gweld o fewn un gêm o'r ornest derfynol, gan ysbrydoli'r holl genedl ar hyd y ffordd.

Dilynodd byddin o gefnogwyr y garfan i Ffrainc, gyda'u cefnogaeth swnllyd angerddol yn helpu'r chwaraewyr i gyrraedd ymhellach at uchelfannau gwych.

Gartref, gwelwyd ardaloedd cefnogwyr yn ymddangos dros y wlad gyda chynulleidfaoedd teledu yn torri record wrth i'n taith trwy'r gystadleuaeth gipio dychymyg y cyhoedd yng Nghymru.

Roedd hi'n newid mawr yn hanes dîm pêl-droed oedd heb gael cyfle i frolio ers Cwpan y Byd 1958, yr unig dro i Gymru gymhwyso i dwrnamaint mawr.

Bryd hynny, roedd Elvis Presley ar frig y siartiau a'r ras i'r gofod newydd ddechrau gyda Sir Edmund Hillary yn cyrraedd Pegwn y De.

Cyrhaeddodd Gymru'r rownd gogynderfynol yn Sweden cyn cael eu trechu gan Brasil, gyda gôl gan Pele, yn 17 mlwydd oed, yn rhoi cnoc yn ein breuddwydion Cwpan y Byd.

Tra bod lwc dda ar ein hochr ar gyfer y twrnamaint hwnnw, gyda'r Dreigiau'n curo Israel yn y gemau ail gyfle wedi i dimau eraill wrthod eu chwarae am resymau gwleidyddol, cawsom sicr ein siâr o anlwc yn y degawdau wedi hynny er gwaethaf y buddugoliaethau enwog yn erbyn mawrion fel Brasil, Yr Almaen, Yr Eidal a Sbaen.

Cyrhaeddodd tîm 'anghofiedig' 1976 y rownd gogynderfynol ym Mhencampwriaeth Ewropeaidd wedi gorffen ar frig eu grŵp cymhwyso oedd yn cynnwys Hwngari, Awstria a Lwcsembwrg. Ond, yn y dyddiau hynny, dim ond y timau cynderfynol oedd yn cael lle yn y rowndiau terfynol, gyda Chymru'n colli yn gêm gyfartal yr wyth olaf yn erbyn Iwgoslafia mewn amgylchiadau dadleuol am goliau'n cael eu gwahardd a phenderfyniadau cosb.

Rhoddodd achos o gam-adnabod cnoc fawr i obeithion cymhwyso Cymru i Gwpan y Byd 1978 gyda'r Alban yn derbyn cic gosb ar gam am gyffyrddiad llaw gan Gymru, gyda gwahaniaeth goliau yn unig yn ein gwahardd rhag cyrraedd Cwpan y Byd bedair blynedd yn ddiweddarach. Taflodd marwolaeth rheolwr y gwrthwynebwyr, Jock Stein, yn syth wedi'r gêm gysgod dros ein gêm gyfartal 1-1 yn erbyn Yr Alban yn 1985.

Ac fe wnaeth cic gosb ddadleuol arall mewn gêm ail gyfle yn erbyn Awstralia chwalu gobeithion rownd terfynol Cwpan y Byd. Bydd Paul Bodin hefyd yn difaru iddo fethu'r gic o'r smotyn yn erbyn Rwmania gan golli'n lle yn yr UDA '94.

Ddegawd yn ddiweddarach, gwelwyd Cymru'n dioddef o dor-calon cymhwyso mewn gêm ail-gyflea yn erbyn Rwsia wrth i ni fethu â chyrraedd yr Ewros yng Ngroeg. Yna, wedi colli nifer o'r chwaraewyr craidd i ymddeoliad, brwydro i wneud argraff wnaeth y tîm dan reolaeth John Toshack.

Ond byddai ei benderfyniad i greu dyfodol newydd drwy gyflwyno bechgyn ifanc i ddisgyblaeth pêl-droed rhyngwladol yn medi llwyddiant ysgubol. O'r 14 chwaraewr a gymrodd ran yn y gêm hanesyddol yn erbyn Slofacia, roedd naw ohonynt wedi gwneud eu hymddangosiad cyntaf dan ofal y cyn-reolwr Real Madrid, gan gynnwys Ashley Williams, Aaron Ramsey a Gareth Bale.

Cafodd y swydd o drawsnewid y grŵp o chwaraewyr ifanc talentog i dîm o enillwyr ei roi yn nwylo'r cyn-gapten Gary Speed. Gwelodd ddadeni yn ffortiwn y tîm, gyda phedair gêm fuddugol allan o bump yn codi Cymru 72 safle yn rhestrau'r byd, dim ond dair mis wedi disgyn i'r safle isaf erioed o 117.

Gan ddod â pharch a gobaith nôl i bêl-droed Cymru, fe dorrwyd bywyd Speed yn fyr ond mae ei enaid yn byw o hyd gyda'n cefnogwyr wedi canu ei enw drwy gydol ein hantur yn Ffrainc. Ni fydd fyth yn angof.

Coleman, ffrind plentyndod i Speed, gymerodd awenau'r swydd hyfforddi yn yr amgylchiadau trasig ond goresgynnodd dechreuad gwael i arwain ei wlad drwy'r cyfnod fwyaf llwyddiannus.

Mae Gorau Chwarae Cyd Chwarae yn ddathliad o'r oes aur i bêl-droed Cymru. Dros y tudalennau nesaf, gallwch ail-fyw'r ymgyrch gymhwyso hanesyddol a'r gyfres o gemau a'i dilynodd, gyda lluniau o du ôl i'r llen o'r chwaraewyr wrth eu gwaith a'n mwynhau gan roi golwg diddorol i ni o ysbryd y tîm na ellir fyth mo'i dorri.

Mae gennym hefyd luniau o'r croeso cynnes adref a'r dathliadau a groesawodd y garfan nôl i Gymru ac rydym yn edrych ar sut y gall eu llwyddiant ysbrydoli cenhedlaeth newydd o chwaraewyr.

Fel y dywedodd Coleman, dim ond dechrau'r siwrnai oedd Ewro 2016 a ddylai neb fod ofn breuddwydio.

THE HISTORY BOYS

Y **BECHGYN** HANES

Wales needed a top-two finish in a group containing Belgium, Bosnia-Herzegovina, Israel, Cyprus and Andorra to guarantee qualification for Euro 2016. This is how Chris Coleman's men overcame an almighty scare in the Pyrenees to seal a spot in our first major finals since 1958

Er mwyn sicrhau lle yng ngemau terfynol Euro 2016, roedd angen i Gymru orffen yn y ddau uchaf mewn grŵp oedd yn cynnwys Gwlad Belg, Bosnia-Herzegovina, Israel, Ynys Cyprus ac Andorra. Dyma sut aeth dynion Chris Coleman sicrhau ein lle yng ngemau terfynol cystadleuaeth o bwys am y tro cyntaf ers 1958

 ANDORRA 1
Lima (6 pen)

 WALES 2
Bale (22, 81)

Gareth Bale's two goals saved Wales from making the worst possible start to our Euro 2016 qualification campaign against Andorra.

The Group B minnows stunned Chris Coleman's side by going ahead in the sixth minute, Ildefons Lima converting a penalty after Neil Taylor was adjudged to have fouled Ivan Lorenzo in the box.

Andorra's lead only lasted 16 minutes, with Bale ensuring we at least went into the interval on level terms after heading home a Ben Davies cross.

The controversial artificial surface hampered Wales' passing game but Coleman's players piled on the pressure in the second half as we searched for the winner.

The breakthrough finally came with less than 10 minutes of normal time remaining. Substitute George Williams was fouled 25 yards from goal and Bale curled in a beautiful free-kick to spark wild scenes among the 1,500 travelling fans at the Estadi Nacional.

Andorra: Pol, Garcia, Lima, Maneiro, Rubio, Valez, Peppe (Vieira 53), Ayala (Sanchez 86), Martinez (Sonejee 83), Lorenzo, Riera

Booked/Cerdyn melyn: Peppe, Lorenzo, Maneiro, Vieira, Riera, Valez

Wales/Cymru: Hennessey, Gunter, Taylor, Chester, Davies, A Williams, Allen, King (G Williams 77), Ramsey (Huws 90+4), Bale, Church (Ledley 62)

Booked/Cerdyn melyn: Allen, Church

 **ANDORRA**   **1**
Lima (6 pen)

 **CYMRU**   **2**
Bale (22, 81)

Dwy gôl gan Gareth Bale achubodd Cymru rhag y dechrau gwaethaf posibl i ymgyrch ragbrofol Euro 2016 yn erbyn Andorra.

Cafodd tîm Chris Coleman ergyd i'w gobeithion wedi chwe munud wrth i dîm lleiaf Grŵp B fynd ar y blaen o un gôl, yn dilyn cic o'r smotyn gan Idlefons Lima ar ôl i'r dyfarnwr farnu i Neil Taylor droseddu yn erbyn Ivan Lorenzo yn y blwch cosbi.

Roedd Andorra ar y blaen am 16 munud hyd nes i Bale unioni'r sefyllfa cyn yr egwyl gyda pheniad i'r rhwyd yn dilyn croesiad gan Ben Davies.

Roedd wyneb artiffisial dadleuol y cae yn rhwystr i gêm basio Cymru ond roedd chwaraewyr Coleman yn pwyso drwy gydol yr ail hanner wrth geisio dod o hyd i'r gôl fuddugol. Gyda llai na 10 munud i fynd, fe ddaeth achubiaeth.

Yn dilyn trosedd ar yr eilydd George Williams, 25 llath o'r gôl, gwelwyd cic rydd Bale yn crymanu'n osgeiddig i'r rhwyd gan danio'r dorf o 1,500 a deithiodd i'r Estadi Nacional.

 WALES   0

 BOSNIA-HERZEGOVINA   0

Wales went to the top of Group B after fighting out a goalless draw with Bosnia-Herzegovina at the Cardiff City Stadium.

With Aaron Ramsey and Joe Allen absent, Joe Ledley and Jonny Williams were given the formidable task of containing a dangerous Bosnian side featuring Roma's Miralem Pjanic.

Wales, roared on by a 30,000-plus crowd, went close to scoring early on when Gareth Bale latched on to Ben Davies' superb pass, but his volley fell the wrong side of the post.

Man of the match Wayne Hennessey produced a string of excellent stops as the Bosnians pushed forward, twice denying Haris Medunjanin and Edin Dzeko in a frantic second-half spell, and brilliantly saving a Pjanic free-kick.

Ashley Williams came close to scoring the winner but headed over in the 78th minute, while Asmir Begovic made the save of the night when he palmed away Bale's swerving 30-yard shot in stoppage time.

MATCH ATTENDANCE

30,741

adi.tv

Wales/Cymru: Hennessey, Gunter, A Williams, Chester, Davies, Taylor, Ledley, King, J Williams (G Williams 83), Bale, Church (Robson-Kanu 65)

Booked/Cerdyn melyn: Taylor, Chester, A Williams

Bosnia-Herzegovina: Begovic, Mujdza, Hadzic, Sunjic, Lulic, Susic, Besic, Medunjanin, Pjanic, Dzeko, Ibisevic (Hajrovic 83)

Booked/Cerdyn melyn: Hadzic, Pjanic, Dzeko

  CYMRU 0

BOSNIA-HERZEGOVINA 0

Aeth Cymru i frig Grŵp B yn dilyn gêm gyfartal, ddi-sgôr yn erbyn Bosnia-Herzegovina yn Stadiwm Dinas Caerdydd.

Gydag Aaron Ramsey a Joe Allen yn absennol, roedd gan Joe Ledley a Jonny Williams fynydd o dasg o'u blaen i atal tîm heriol oedd yn cynnwys chwaraewr Roma, Miralem Pjanic.

Bu bron i Gymru fynd ar y blaen yn gynnar yn dilyn pas ardderchog Ben Davies i Gareth Bale, ond heibio'r postyn aeth y foli y tro hwn. Fe wnaeth seren y gêm, Wayne Hennessey, sawl arbediad campus wrth i'r gwrthwynebwyr bwyso'n galed i hanner Cymru.

Fe arbedodd giciau gan Haris Medunjanin ac Edin Dzeko i'w hatal rhag sgorio ddwywaith mewn cyfnod cythryblus yn yr ail hanner ac fe wnaeth arbediad arwrol yn dilyn cic rydd gan Pjanic.

Daeth Ashley Williams yn agos i sgorio'r gôl fuddugol ond aeth ei beniad dros y bar. Gwelwyd arbediad y noson gan Asmir Begovic pan lwyddodd i atal ergyd 30 llath gan Bale yn ystod yr amser a ganiatawyd ar gyfer anafiadau.

 **WALES**   **2**
Cotterill (13), Robson-Kanu (23)

 **CYPRUS**   **1**
Laban (36)

Goals by David Cotterill and Hal Robson-Kanu helped secure a precious three points as 10-man Wales dug deep to beat Cyprus in Cardiff.

Chris Coleman's men appeared to be comfortably on the way to victory after two goals in the opening 25 minutes.

Cotterill's cross caught out the Cypriot defence for the opener, while a back-heel from Gareth Bale allowed Robson-Kanu to run through at goal and slot the ball between the legs of keeper Tasos Kissas.

But the visitors clawed their way back into the game when Vincent Laban's free-kick evaded Wales goalkeeper Wayne Hennessey nine minutes before the break.

Andy King was then dismissed just two minutes after the restart for an ankle-high challenge on Cyprus captain Constantinos Makridis.

It made for a nervy second half as the visitors searched for an equaliser but, despite a couple of scares, Wales held on for a valuable victory.

CYMRU 2
Cotterill (13), Robson-Kanu (23)

YNYS CYPRUS 1
Laban (36)

Llwyddodd Cymru i ddal ei gafael ar dri phwynt gwerthfawr yn dilyn dwy gôl gan David Cotterill a Hal Robson-Kanu wrth i 10 dyn Cymru frwydro'n galed i guro Ynys Cyprus yng Nghaerdydd.

Ar ôl dwy gôl yn y 25 munud cyntaf, roedd tîm Chris Coleman i'w gweld yn gyfforddus ac ar eu ffordd i fuddugoliaeth.

Daeth y gôl gyntaf wrth i groesiad Cotterill dwyllo amddiffyn Ynys Cyprus, i alluogi Gareth Bale i sodlu'r bêl at Robson-Kanu a lithrodd trwodd am y gôl gan rwydo'r bêl drwy goesau'r golwr, Tasos Kissas. Ond fe frwydrodd yr ymwelwyr yn ôl wrth i gic rydd Vincent Laban fynd heibio i golwr Cymru, Wayne Hennessey, naw munud cyn diwedd yr hanner cyntaf.

Yna, gwelodd Andy King y cerdyn coch ddwy funud i mewn i'r ail hanner am dacl blêr ar gapten Ynys Cyprus, Constantinos Makridis. Ail hanner nerfus iawn oedd hi wrth i'r ymwelwyr chwilio am y gôl i ddod â nhw'n gyfartal, ond er gwaethaf eu hymdrechion, daliodd Cymru ei gafael ar y fuddugoliaeth werthfawr.

Wales/Cymru: Hennessey, Gunter, A Williams, Chester, N Taylor, George Williams (Dave Edwards 58), King, Bale, Ledley, Robson-Kanu (J Taylor, 84), Church (Cotterill 6)

Booked/Cerdyn melyn: Ledley, Cotterill, Bale, Edwards
Sent off/Cerdyn coch: King (47)

Cyprus/Ynys Cyprus: Kissas, Kyriakou, Merkis, Junior (Angeli 29) (Papathanasiou 85), Antoniades, Efrem, Nicolaou (Alexandrou 68), Laban, Sotiriou, Makridis, Christofi

Booked/Cerdyn melyn: Nicolaou, Angeli, Sotiriou, Kyriakou, Merkis

 BELGIUM 0

 WALES 0

A magnificent defensive display earned Wales a vital draw in Belgium and maintained our unbeaten start to the Euro 2016 qualification campaign.

Chris Coleman's side were forced to soak up pressure for large periods, with Wayne Hennessey denying Nacer Chadli and Nicolas Lombaerts striking a post in the first half.

But we had chances of our own after the interval and, following the introduction of exciting Fulham winger George Williams, Wales posed more of a counter-attacking threat as the match wore on.

Gareth Bale twice forced saves from Thibaut Courtois in the Belgian goal with swerving free-kicks and shot narrowly wide of the post after skipping past two defenders. Hal Robson-Kanu also had a shot saved.

The hosts controlled possession for long periods but were unable to make a breakthrough. Christian Benteke's header was cleared off the line late on but Wales survived to claim a precious point in Brussels.

Belgium/Gwlad Belg: Courtois, Vanden Borre, Lombaerts, Alderweireld, Vertonghen, Witsel, Fellaini, Chadli (Benteke 62), De Bruyne, Hazard, Origi (Mertens 73) (Januzaj 89)

Wales/Cymru: Hennessey, Gunter, Chester, A Williams, Taylor, Allen, Ledley, Cotterill (G Williams 46), Ramsey, Robson-Kanu (Huws 90), Bale

Booked/Cerdyn melyn: Ledley, Allen, G Williams, Hennessey

	GWLAD BELG	0
	CYMRU	0

Gwelwyd amddiffyn penigamp gan Gymru yn sicrhau gêm gyfartal bwysig yng Ngwlad Belg a pharhad i'r rhediad di-guro hyd yma yn ymgyrch ragbrofol Euro 2016.

Roedd gofyn i dîm Chris Coleman ddygymod â phwysau gan y Belgiaid am gyfnodau helaeth o'r gêm, gyda Wayne Hennessey yn atal gôl gan Nacer Chadli ac wrth i gic gan Nicolas Lombaets daro'r postyn yn yr hanner cyntaf.

Ond daeth cyfleoedd i Gymru yn yr ail hanner, ac wrth i asgellwr chwimwth Fulham, George Williams gamu i'r cae, gwelwyd Cymru yn bygwth gyda'u gwrth-ymosodiadau wrth i'r gêm fynd yn ei blaen. Gwelodd Gareth Bale ei ergydion at gôl y Belgiaid yn cael eu harbed ddwywaith gan y golwr Thibaut Courtois, yn dilyn ciciau rhydd crymanog a hefyd ergyd arall aeth drwch blewyn heibio'r postyn ar ôl iddo guro dau amddiffynwr yn ddidrafferth.

Arbedwyd cynnig gan Hal Robson-Kanu hefyd. Roedd y tîm cartref yn rheoli'r gêm am gyfnodau maith ond ofer fu eu hymdrechion. Cliriwyd peniad Christian Benteke oddi ar y llinell yn hwyr yn y gêm ac fe oroesodd Cymru i hawlio pwynt gwerthfawr ym Mrwsel.

ISRAEL		**0**
WALES		**3**

Ramsey (45+1), Bale (50, 77)

Wales leapfrogged Israel at the top of Group B and took a significant step towards Euro 2016 qualification with a brilliant away win in Haifa.

Gareth Bale scored two and set up another as we emphatically beat an Israeli side that had won all three of their previous qualifiers.

The visitors took a deserved lead on the stroke of half-time when Aaron Ramsey latched on to Bale's flick to loop a header into the back of the net.

The Real Madrid star then doubled the advantage early in the second half with a superb free-kick from the edge of the area.

Israel were reduced to 10 men within moments of the restart after Eytan Tibi picked up a second booking for fouling Bale, who put the result beyond doubt with a sweet finish following good work by Ramsey.

Israel: Marciano, Dgani, Ben Haim, Tibi, Ben Harush, Yeini, Natcho, Refaelov, Ben Haim II (Bitton 60), Zahavi (Sahar 71), Damari (Hemed 43)

Booked/Cerdyn melyn: Refaelov, Tibi
Sent off/Cerdyn coch: Tibi (51)

Wales/Cymru: Hennessey, Gunter, Collins, A Williams, Davies, Taylor, Ramsey (MacDonald 85), Allen, Ledley (Vaughan 47), Bale, Robson-Kanu (Vokes 68)

 **ISRAEL**   0

 **CYMRU**   3
Ramsey (45+1), Bale (50,77)

Aeth Cymru heibio i Israel i frig Grŵp B gyda cham allweddol tuag at rowndiau terfynol Euro 2016 ar ôl buddugoliaeth wych oddi cartref yn Haifa.

Sgoriodd Gareth Bale ddwy gôl gan greu un arall i roi buddugoliaeth ddigamsyniol i ni yn erbyn Israel – tîm a oedd wedi ennill pob un o'i dair gêm ragbrofol flaenorol.

Aeth Cymru ar y blaen yn haeddiannol yn eiliadau olaf yr hanner cyntaf wrth i Aaron Ramsey fachu ar bêl gan Gareth Bale a'i benio i gefn y rhwyd.

Sicrhaodd seren Real Madrid ail gôl i ddyblu'r fantais yn gynnar yn yr ail hanner gyda chic rydd ragorol o ymyl y blwch.

Aeth Israel i lawr i 10 dyn ciliadau wedi'r hanner ar ôl i enw Eytan Tibi fynd i lyfr y dyfarnwr am yr ail waith am ei drosedd ar Bale. Aeth Bale yn ei flaen i goroni'r noson gyda thrydedd gôl hyfryd yn dilyn gwaith da gan Ramsey.

  WALES   **1**
Bale (25)

BELGIUM   **0**

Gareth Bale's goal sent Wales three points clear at the top of Group B on an unforgettable night at the Cardiff City Stadium.

The Real Madrid forward scored the only goal of the game after 25 minutes, latching on to Radja Nainggolan's misdirected header and calmly slotting the ball past Belgium keeper Thibaut Courtois.

Belgium had started brightly but were unable to breach a disciplined Welsh defence that included Jazz Richards at right-back, with Chris Gunter moving infield in the absence of Ben Davies.

Nainggolan tested Wayne Hennessey with a curling 20-yard shot and visiting captain Eden Hazard volleyed over the bar, with Everton striker Romelu Lukaku brought on at half-time to add a further attacking threat.

Christian Benteke diverted a far-post corner wide and went close with a left-footed shot from the edge of the box as Belgium searched for a breakthrough, but Wales dug deep to earn a famous victory over the world's No2 ranked side.

Wales/Cymru: Hennessey, Richards, Gunter, A Williams, Chester, Taylor, Allen, Ledley, Bale (Vokes 87), Ramsey, Robson-Kanu (King 90+3)

Booked/Cerdyn melyn: **Allen**

Belgium/Gwlad Belg: Courtois, Alderweireld (Ferreira Carrasco 77), Denayer, Lombaerts, Vertonghen, Nainggolan, Witsel, Mertens (Lukaku 46), De Bruyne, Hazard; Benteke

Booked/Cerdyn melyn: **Lombaerts**

CYMRU 1
Bale (25)

GWLAD BELG 0

Gôl Gareth Bale aeth â Chymru dri phwynt yn glir ar frig Grŵp B ar noson fythgofiadwy yn Stadiwm Dinas Caerdydd.

Seren Real Madrid sgoriodd unig gôl y gêm ar ôl 25 munud, wrth iddo fanteisio ar gamgymeriad o beniad gan Radja Nainggolan a phlannu'r bêl yn daclus i'r rhwyd heibio golwr Gwlad Belg, Thibaut Courtois.

Dechreuodd Gwlad Belg yn gryf ond fe fethon nhw â thorri drwy amddiffyn disgybledig Cymru oedd yn cynnwys Jazz Richards fel cefnwr de a Chris Gunter yn symud i'r canol yn absenoldeb Ben Davies. Rhoddodd Nainggolan brawf i Wayne Hennessey gydag ergyd yn crymanu tua'r gôl o 20 llath ac fe aeth ergyd y capten Eden Hazard dros y bar o drwch blewyn.

Daeth perygl o'r newydd wedi'r egwyl hefyd gyda seren Everton Romelu Lukaku yn camu i'r cae. Bu bron i Christian Benteke ddod yn agos fwy nag unwaith ar ôl cic gornel ac ymgais droed chwith o ymyl y blwch wrth i Wlad Belg geisio taro nôl ond fe ddaliodd Cymru ei gafael ar y gêm i sicrhau buddugoliaeth hanesyddol dros y tîm ail orau yn y byd.

 CYPRUS 0

 WALES 1
Bale (82)

Wales were just three points away from qualifying for Euro 2016 after a superb Gareth Bale header gave the Dragons a 1-0 win in Cyprus.

The La Liga superstar scored his sixth goal of the campaign after rising highest at the far post to power home Jazz Richards' cross.

Dave Edwards also had a headed goal controversially disallowed in the first half after Hal Robson-Kanu was judged to have pushed a Cypriot defender.

It was anything but easy for the visitors, who had to contend with searing heat and a difficult pitch in Nicosia, and Cyprus gradually came into the game as the minutes ticked on.

But the players stuck to their task to grind out a gutsy victory, with Bale's 82nd minute breakthrough leaving Wales on the brink of history.

 YNYS CYPRUS   0

 **CYMRU**   1
Bale (82)

Dim ond tri phwynt oedd rhwng Cymru â gemau terfynol Euro 2016 ar ôl i beniad anhygoel gan Gareth Bale sicrhau buddugoliaeth o 1-0 i dîm Chris Coleman ar Ynys Cyprus.

Sgoriodd blaenwr Real Madrid ei chweched gôl yn yr ymgyrch ar ôl codi'n uwch na neb wrth y postyn pellaf i benio croesiad Jazz Richards i'r rhwyd. Roedd eiliad dadleuol yn yr hanner cyntaf wrth i beniad Dave Edwards i'r rhwyd gael ei wrthod ar ôl i Hal Robson-Kanu, yn ôl y dyfarnwr, wthio un o amddiffynwyr Ynys Cyprus.

Roedd hi'n gêm anodd i'r ymwelwyr wrth iddyn nhw geisio ymdopi â gwres tanbaid a chae anodd yn Nicosia, a daeth Ynys Cyprus yn ôl i'r gêm fesul dipyn wrth i'r munudau fynd heibio.

Ond llwyddodd tîm Coleman i hawlio buddugoliaeth ddewr, llawn cymeriad gyda gôl Bale wyth munud o'r diwedd yn mynd â Chymru yn ei blaen tuag at bennod newydd yn ei hanes.

Cyprus/Ynys Cyprus: Giorgallides, Demetriou, Dossa Junior, Laifis, Antoniades, Charalambides (Englezou 74), Nikolaou, Economides, Makridis, Mytidis (Kolokoudias 65), Makris (Sotiriou 84)

Wales/Cymru: Hennessey, Gunter, A Williams, Davies, Richards, King, Edwards, Taylor, Ramsey (MacDonald 90+3), Bale (Church 90), Robson-Kanu (Vokes 68)

WALES   0

ISRAEL   0

The qualification party had to be put on hold as Wales were held to a frustrating goalless draw by Israel.

Chris Coleman's side dominated possession, with Andy King and Aaron Ramsey both going close in the opening minutes, but struggled to break down opponents who were happy to keep 11 men behind the ball.

Wales continued to pass and probe in the second half as we tried to eke out goalscoring chances. Bale clipped a free-kick narrowly over the bar from the edge of the Israeli area and King's header was held on the line by Ofir Marciano, while the hosts were denied a clear penalty for a handball by Israel's Eitan Tibi.

With one more win needed to guarantee our passage to Euro 2016, there were roars of celebration when Simon Church found the back of the net in injury time, but they were cut short after his header was correctly ruled out for offside.

Wales/Cymru: Hennessey, Richards, Gunter, A Williams, Davies, Taylor, Edwards, King (Vokes 86), Ramsey, Bale, Robson-Kanu (Church 79)

Booked/Cerdyn melyn: Richards, Robson-Kanu

Israel: Marciano, Dasa, Ben Haim, Tibi, Dgani, Ben Harush, Bitton, Kayal (Ben Haim II 46), Natcho, Dabbur (Hemed 46), Zahavi (Sahar 90+3)

Booked/Cerdyn melyn: Dabbur, Dasa, Dgani, Natcho, Bitton

 CYMRU 0

 ISRAEL 0

Bu'n rhaid oedi'r dathlu ar ôl gêm gyfartal ddi-sgôr yn erbyn Israel.

Er i dîm Chris Coleman sicrhau'r meddiant am ran helaethaf y gêm, gydag Andy King ac Aaron Ramsey yn dod yn agos yn y munudau agoriadol, roedd hi'n anodd trechu tîm a oedd wedi bodloni ar gadw ei 11 dyn y tu ôl i'r bêl.

Daliodd Cymru ati i wneud rhediadau a phasio nôl a mlaen yn yr ail hanner wrth geisio sicrhau cyfleoedd i sgorio. Aeth cic rydd gan Bale ychydig fodfeddi dros y bar o ymyl blwch cosbi Israel a llwyddodd Ofir Marciano i gadw peniad King oddi ar y llinell. Er i Eitan Tibi lawio'r bêl, gwadwyd cic amlwg o'r smotyn i Gymru.

Dim ond un gêm fuddugol oedd ei hangen arnom i sicrhau ein taith i Euro 2016, a dechreuodd y dorf ddathlu pan beniodd Simon Church y bêl i gefn y rhwyd yn ystod yr amser a ganiatawyd ar gyfer anafiadau, ond roedd y dathlu yn rhy fuan, gan ei fod yn camsefyll.

 BOSNIA-HERZEGOVINA   2
Djuric (71), Ibisevic (90)

 WALES   0

More than half a century of hurt came to an end as Wales qualified for Euro 2016 despite defeat in Bosnia-Herzegovina.

Chris Coleman's men travelled to the Balkans knowing a point would be enough to secure a spot in France.

However, Cyprus' 2-1 win in Israel meant we went through anyway, sparking wild celebrations among the away fans in Zenica.

Coleman had promised to take the game to Bosnia, and our best chance came just before half-time when Aaron Ramsey was denied at the near post and Neil Taylor failed to convert the loose ball.

In the second half we conceded our first goal from open play during the campaign when Milan Djuric's header looped over goalkeeper Wayne Hennessey in the 71st minute.

Vedad Ibisevic sealed the victory with a last-minute tap-in from close range, but by then the visiting fans were celebrating as news filtered through of Cyprus' victory.

BOSNIA-HERZEGOVINA 2
Djuric (71), Ibisevic (90)

CYMRU 0

Daeth hanner canrif o boen i ben wrth i Gymru gyrraedd rowndiau terfynol Euro 2016, er gwaethaf colli yn Bosnia-Herzegovina.

Teithiodd tîm Chris Coleman yno gan wybod y byddai pwynt yn ddigon i sicrhau eu lle yn Ffrainc. Ond yn dilyn buddugoliaeth Ynys Cyprus o 2-1 yn Israel, roedd Cymru ar ei ffordd, ac fe gafodd y cefnogwyr a oedd wedi teithio i Zenica fodd i fyw.

Roedd Coleman wedi addo mynd â gêm benderfynol i Bosnia, a daeth ein cyfle gorau ychydig cyn yr egwyl pan ddaeth Aaron Ramsey yn agos iawn at sgorio wrth y postyn pellaf ac wrth i Neil Taylor fethu â rhwydo wrth i'r bêl ddod tuag ato.

Yn yr ail hanner, ildiodd Cymru ei gôl gyntaf yn ystod chwarae agored am y tro cyntaf yn yr ymgyrch pan beniodd Milan Djuric y bêl dros Wayne Hennessey wedi 71 munud. Seliodd Vedad Ibisevic eu buddugoliaeth gyda gôl yn y funud olaf, ond roedd cefnogwyr Cymru eisoes yn dathlu wrth i'r newyddion eu cyrraedd am fuddugoliaeth Ynys Cyprus.

Bosnia-Herzegovina: Begovic, Mujdza, Sunjic, Spahic (Cocalic 46), Zukanovic, Hadzic (Bicakcic 89), Visca (Djuric 61), Pjanic, Lulic, Salihovic, Ibisevic

Booked/Cerdyn melyn: Spahic, Begovic, Sunjic

Wales/Cymru: Hennessey, Gunter, A Williams, Davies, Richards, Allen (Edwards 85), Ledley (Vokes 75), Taylor, Ramsey, Bale, Robson-Kanu (Church 84)

Booked/Cerdyn melyn: Taylor

 WALES	2
Ramsey (50), Bale (86)	
FAF ANDORRA	0

Chris Coleman's men received a heroes' welcome at the Cardiff City Stadium as they celebrated reaching Euro 2016 with a 2-0 win over Andorra.

The stubborn opposition did their best to dampen the party atmosphere by keeping the dominant hosts at bay in the first half.

Aaron Ramsey finally broke the deadlock five minutes after the interval, firing in a rebound after Ashley Williams' header was saved.

Gareth Bale struck his seventh goal of the campaign late on, shooting into the bottom corner after collecting Ben Davies' low cross, as Wales' constant pressure paid off. It ensured we ended the campaign on 21 points to finish runners-up to Belgium in Group B.

Coleman and his players thanked the fans for their support with a lap of honour after the match as the nation looked forward to a first major finals appearance since 1958.

Wales/Cymru: Hennessey, Gunter, A Williams, Chester, Davies, Ramsey, Vaughan, Bale, J Williams (Church 86), Vokes, Robson-Kanu (Edwards 23) (Lawrence 46)

Booked/Cerdyn melyn: Vaughan, A Williams, Gunter

Andorra: Pol, San Nicolas, Rodrigues, Lima, Llovera, Rubio, Lorenzo (Garcia 81), Sonejee (Ayala 70), Vieira, Moreira (Riera 12), Sanchez

Booked/Cerdyn melyn Lima, Lorenzo, Sanchez, Vieira, Pol, Rodrigues, Ayala

 CYMRU   **2**
Ramsey (50), Bale (86)

 ANDORRA   **0**

Roedd croeso anhygoel i arwyr Chris Coleman yn Stadiwm Dinas Caerdydd wrth iddyn nhw ddathlu cyrraedd rowndiau terfynol Euro 2016 gyda buddugoliaeth dros Andorra o 2-0.

Gwnaeth Andorra ei gorau i gadw Cymru yn dawel yn ystod yr hanner cyntaf, ond cadarnhawyd goruchafiaeth Cymru bum munud i mewn i'r ail hanner wrth i Aaron Ramsey fanteisio ar y bêl yn adlamu oddi ar yr arbediad i beniad Ashley Williams a'i tharo i'r rhwyd.

Sgoriodd Gareth Bale ei seithfed gôl yn yr ymgyrch yn hwyr yn y gêm, gan ergydio'r bêl i gornel y rhwyd yn dilyn croesiad isel gan Ben Davies. Gorffennodd Cymru yr ymgyrch ar 21 pwynt i orffen y tu ôl i Wlad Belg yn Grŵp B.

Arhosodd Coleman a'i chwaraewyr ar y cae wedi'r gêm i ddiolch i'r cefnogwyr wrth i'r genedl gyfan fwrw ei golygon tuag at ymddangosiad Cymru mewn pencampwriaeth o bwys am y tro cyntaf ers 1958.

SHAPING UP FOR FRANCE

PARATOI AM **FFRAINC**

With Gareth Bale remaining with Real Madrid ahead of the Champions League final, Chris Coleman took 29 players to Portugal for a pre-tournament training camp before deciding on his final squad. The team then travelled to Sweden for a warm-up match before the action got under way in France

Gyda Gareth Bale yn parhau gyda Real Madrid cyn gêm derfynol Cynghrair y Pencampwyr, aeth Chris Coleman â 29 chwaraewr i Bortiwgal ar gyfer gwersyll ymarfer cyn y twrnamaint a chyn iddo benderfynu ar ei garfan derfynol. Yna teithiodd y tîm i Sweden ar gyfer gêm gyfeillgar cyn i'r cystdadlu go iawn ddechrau yn Ffrainc

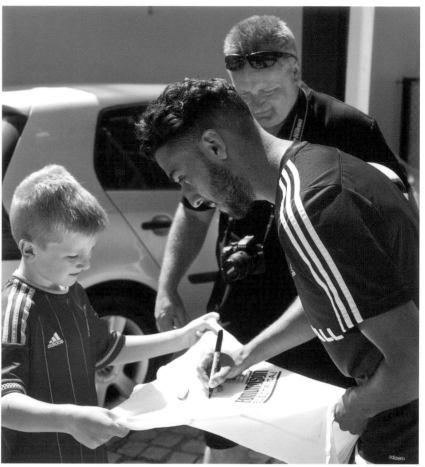

THE **FINAL** 23
Y 23 **OLAF**

Here are the players Chris Coleman selected to take on the best of Europe in France

Dyma'r chwaraewyr aeth ar yr awyren gyda Chris Coleman i Ffrainc i wynebu'r goreuon o Ewrop

Wayne Hennessey

Age/Oed: 29
Position/Safle: Goalkeeper /Gôl-geidwad
Club/Clwb: Crystal Palace

Danny Ward

Age/Oed: 22
Position/Safle: Goalkeeper /Gôl-geidwad
Club/Clwb: Liverpool

Owain Fôn Williams

Age/Oed: 29
Position/Safle: Goalkeeper /Gôl-geidwad
Club/Clwb: Inverness Caledonian Thistle

James Chester

Age/Oed: 27
Position/Safle: Defender /Amddiffynwr
Club/Clwb: West Bromwich Albion

Ben Davies

Age/Oed: 23
Position/Safle: Defender /Amddiffynwr
Club/Clwb: Tottenham Hotspur

James Collins

Age/Oed: 32
Position/Safle: Defender /Amddiffynnwr
Club/Clwb: West Ham United

Ashley Williams

Age/Oed: 31
Position/Safle: Defender/Amddiffynwr
Club/Clwb: Swansea City

Chris Gunter

Age/Oed: 26
Position/Safle: Defender /Amddiffynwr
Club/Clwb: Reading

Neil Taylor

Age/Oed: 27
Position/Safle: Defender /Amddiffynwr
Club/Clwb: Swansea City

Ashley Richards

Age/Oed: 25
Position/Safle: Defender /Amddiffynwr
Club/Clwb: Fulham

Joe Allen

Age/Oed: 26
Position/Safle:
Midfielder

/Chwaraewr
Canol Cae
Club/Clwb:
Liverpool

David Vaughan

Age/Oed: 33
Position/Safle:
Midfielder
/Chwaraewr
Canol Cae
Club/Clwb:
Nottingham Forest

Joe Ledley

Age/Oed: 29
Position/Safle:
Midfielder
/Chwaraewr
Canol Cae
Club/Clwb:
Crystal Palace

Jonny Williams

Age/Oed: 22
Position/Safle:
Midfielder
/Chwaraewr
Canol Cae
Club/Clwb:
Crystal Palace

David Edwards

Age/Oed: 30
Position/Safle:
Midfielder
/Chwaraewr
Canol Cae
Club/Clwb:
Wolves

George Williams

Age/Oed: 20
Position/Safle:
Midfielder
/Chwaraewr
Canol Cae
Club/Clwb:
Fulham

Aaron Ramsey

Age/Oed: 25
Position/Safle:
Midfielder
/Chwaraewr
Canol Cae
Club/Clwb:
Arsenal

Andy King

Age/Oed: 26
Position/Safle:
Midfielder
/Chwaraewr
Canol Cae
Club/Clwb:
Leicester City

David Cotterill

Age/Oed: 28
Position/Safle:
Forward
/Blaenwr
Club/Clwb:
Birmingham City

Gareth Bale

Age/Oed: 26
Position/Safle:
Forward/Blaenwr

Club/Clwb:
Real Madrid

Hal Robson-Kanu

Age/Oed: 26
Position/Safle:
Forward
/Blaenwr
Club/Clwb:
Reading

Simon Church

Age/Oed: 27
Position/Safle:
Striker
/Saethwr
Club/Clwb:
MK Dons

Sam Vokes

Age/Oed: 26
Position/Safle:
Striker
/Saethwr
Club/Clwb:
Burnley

 SWEDEN   **3**
Forsberg (40), Lustig (57), Guidetti (87)

 WALES   **0**

Zlatan Ibrahimovic inspired Sweden to a 3-0 win over an under-strength Wales in our final match before the start of Euro 2016.

The talismanic striker was at the heart of all the host's good moments, setting up Emil Forsberg's first-half goal before Mikael Lustig doubled the advantage, with John Guidetti striking a late third.

Wales were missing Hal Robson-Kanu, Joe Allen and Joe Ledley through injury, with the latter on the way to making a miraculously speedy recovery from a broken leg, while Gareth Bale was on the bench following his exploits in the Champions League final.

Jonny Williams impressed in the Real Madrid's forward role while Aaron Ramsey, sporting a new blonde hairstyle, also looked like one our likeliest sources of a goal.

Bale's introduction with 25 minutes to go lifted Wales, and he went close with a swerving 30-yard shot, but Chris Coleman was left with much to ponder ahead of our opening match of the Euros against Slovakia.

Sweden: Isaksson (Olsen 45), Lustig, Johansson, Granqvist, Olsson (Augustinssonat 45) Larsson, Kallstrom, Lewicki (Ekdal 61), Forsberg (Durmaz 61), Berg (Guidetti 76), Ibrahimovic (Kujovic)

Wales/Cymru: Hennessey (Ward 45), Chester (Collins 64), Williams, Davies, Taylor, Gunter, King (Bale 64), Vaughan (Edwards 64), Ramsey, J Williams (Huws 74), Vokes (Church 73)

SWEDEN   3
Forsberg (40), Lustig (57), Guidetti (87)

CYMRU   0

Cafodd Sweden eu hysbrydoli gan Zaltan Ibrahimovic i fuddugoliaeth 3-0 dros Gymru yn ein gêm olaf cyn dechrau Euro 2016.

Eu hymosodwr lwcus oedd wrth galon holl funudau da'r tîm cartref, yn gosod gôl hanner gyntaf Emil Forsberg cyn i Mikael Lustig ddyblu'r fantais ac i John Guidetti sgorio trydydd yn hwyr yn y gêm.

Roedd Cymru'n gweld colli Hal Robson-Kanu, Joe Allen a Joe Ledley drwy anafiadau, gyda'r olaf ar y ffordd i wneud gwellhad gwyrthiol wedi torri ei goes, tra bod Gareth Bale ar y fainc yn dilyn gêm derfynol Cynghrair y Pencampwyr.

Creodd Jonny Williams argraff dda yn safle ymosodwr Real Madrid gydag Aaron Ramsey, a'i wallt euraidd newydd, hefyd yn edrych yn debygol o greu goliau.

Cododd calonnau Cymru wedi i Bale gael ei gyflwyno i'r cae gyda 25 munud i ar ôl, ac aeth yn agos i sgorio gôl gyda chic 30 llath ond cafodd Chris Coleman ei adael gyda llawer i feddwl amdano cyn wynebu gêm gyntaf yr Ewros yn erbyn Slofacia.

ON SONG FOR THE EUROS
Y GÂN I'R EWROS

To celebrate Wales' first major finals appearance in more than 50 years, rock legends Manic Street Preachers wrote Together Stronger (C'mon Wales), our official song for Euro 2016

Er mwyn dathlu ymddangosiad Cymru mewn prif dwrnamaint am y tro cyntaf mewn dros 50 mlynedd, ysgrifennodd y cewri roc, Manic Street Preachers, Together Stronger (C'mon Wales), ein hanthem swyddogol ar gyfer Euro 2016

*Together Stronger
(C'mon Wales)*

Not since 1958
When Brazil would make our hearts break
But now that France has arrived
It feels so good to be alive
Let's not forget Gary Speed
He wore his heart upon his sleeve
And if he is looking down
Then our love is all around
So come on Ramsey
Let's set the world alight
When Gareth Bale plays, we can beat any side
So come on Wales
So come on Wales
With Ashley Williams, we can win any fight
Joe Jordan won with his hand
Russia was Giggsy's last chance
Paul Bodin's penalty miss
That 85 night was so tragic
But now the past is all gone
The future is ours to be won
You're just too good to be true, we cannot take our eyes off you
So come on Ramsey
Let's set the world alight
When Gareth Bale plays, we can beat any side
So come on Wales
So come on Wales
With Ashley Williams, we can win any fight
Chrissy Coleman, Gunter, Chester
Hennessey, Allen, King and Collins
Davies, Ledley, Taylor, Richards
Hal Robson-Kanu
So come on Ramsey
Let's set the world alight
When Gareth Bale plays, we can beat any side
So come on Wales
So come on Wales
Together Stronger
We'll win if we unite

FRANCE HERE WE COME
FFRAINC DYMA NI'N DOD

NEVER BE AFRAID TO DREAM

PEIDIWCH Â BOD OFN BREUDDWYDIO

Chris Coleman's side were pitted against Slovakia, England and Russia in Group B. Only the winners and runners-up were certain to make it through to the knockout rounds, with four of the best third-placed sides also progressing to the last 16. Here's how the matches unfolded...

Gwrthwynebwyr tîm Chris Coleman yn Grŵp B oedd Slofacia, Lloegr a Rwsia. Dim ond yr enillwyr a'r timau yn yr ail safle oedd yn sicr o'u lle yn y rowndiau nesaf, gyda phedwar o'r timau fyddai'n gorffen yn y trydydd safle hefyd yn cyrraedd yr 16 olaf. Dyma hanes y gemau...

COUNTDOWN TO KICK-OFF
CYFRI'R DYDDIAU I'R GIC GYNTAF

THE **BIG DAY** ARRIVES
Y DIWRNOD **MAWR**

WALES CYMRU
SLOVAKIA SLOFACIA

GROUP STAGE
GEMAU GRŴP

Saturday, 11 June,
Nouveau Stade
de Bordeaux,
Bordeaux
Dydd Sadwrn, 11 Mehefin,
Nouveau Stade
de Bordeaux,
Bordeaux

"I think it is my proudest moment. Our supporters keep on topping what they have done - that support today was unbelievable. In the second half the fans sensed we were a bit jaded and sitting back a bit. We came back and they got right behind us. Our boys showed passion and courage to come back. It was incredible attitude and mentality."

CHRIS COLEMAN

"Dyma'r foment dw i'n fwya balch ohoni, dw i'n credu. Mae ein cefnogwyr yn parhau i ragori ar y gefnogaeth maen nhw'n ei rhoi i ni – roedd y gefnogaeth heddiw yn anghredadwy. Yn yr ail hanner roedden nhw'n gweld ein bod ychydig yn flinedig ac yn eistedd yn ôl rywfaint. Daethon ni nôl ac fe gododd y gefnogaeth. Dangosodd y bois angerdd a dewrder i ddod nôl. Mae ganddyn nhw agwedd a meddylfryd anhygoel."

CHRIS COLEMAN

"It was like a home game. Our fans are the best in the world and fully got behind us. We gave them something to celebrate. The goal is right up there. A memorable moment, a historic moment for our country. The most important thing is we got the three points. Hal getting the winner is amazing. The subs have to make an impact and he was amazing when he came on. Everyone has a part to play and we will keep fighting."

GARETH BALE

"Ein cefnogwyr ni yw'r gorau yn y byd, ac roedden nhw tu nôl i ni gant y cant. Cawson nhw rywbeth i'w ddathlu. Roedd hi'n gôl wych. Moment fythgofiadwy, moment hanesyddol i'n gwlad. Y peth pwysicaf yw i ni gael y tri phwynt. Mae'n wych bod Hal wedi sgorio'r gôl fuddugol. Mae'n rhaid i'r bois sy'n dod oddi ar y fainc wneud argraff ac roedd e'n anhygoel pan ddaeth i'r cae. Mae gan bawb ran i'w chwarae ac fe fyddwn ni'n parhau i frwydro."

GARETH BALE

"The team was brilliant. To go up, get pegged back and we were against the ropes. But we dug deep and that's what this team is all about. We're obviously thrilled and proud to come away with three points, but we're wary there are two more games. Our focus has to be that no complacency slips in and that we go into the next two matches with the same attitude and the same mindset."

JOE ALLEN

"Roedd y tîm yn wych. I sgorio'r gôl gyntaf ac yna ildio gôl, roedden ni dan bwysau. Ond mae ganddon ni nerth anhygoel a dyma sy'n wych am y tîm yma. Rydyn ni wrth ein boddau ar ôl cipio tri phwynt, ond rydyn ni hefyd yn cofio bod dwy gêm arall i fynd. Rhaid i ni barhau i gadw ffocws a pheidio llaesu dwylo, a mynd mewn i'r ddwy gêm nesaf gyda'r un agwedd a'r un meddylfryd."

JOE ALLEN

BACK TO WORK
NÔL I'R GWAITH

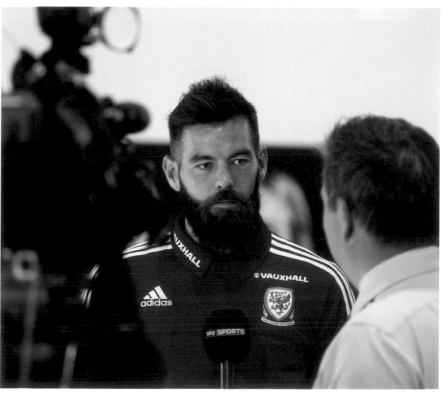

"Obviously it is massively disappointing but I am very proud of everybody. We gave everything like we always do and I have said before if we go out but have given 100 per cent then we can't do any more. We are disappointed at the moment but we are strong inside and the tournament is not over yet. We will go into the next game with even more strength. We keep fighting all the way. We will keep fighting to qualify."

GARETH BALE

"Yn amlwg, mae'n siom aruthrol, ond dw i'n hynod falch o bawb. Fe roeson ni bopeth fel pob un tro arall, ac fel dw i wedi sôn o'r blaen, os ydyn ni'n rhoi cant y cant i'r gêm, allwn ni ddim gwneud mwy. Rydyn ni'n siomedig ar y foment, ond rydyn ni'n gryf a dyw'r bencampwriaeth ddim drosodd eto. Byddwn ni'n mynd i'r gêm nesaf yn gryfach byth. Rydyn ni'n brwydro at y diwedd. Byddwn ni'n parhau i frwydro i fynd drwodd i'r rowndiau terfynol."

GARETH BALE

READY TO **BOUNCE** BACK
BAROD I YMATEB

RUSSIA RWSIA

WALES CYMRU

ROUT OF THE RUSSIANS
ANRHEFN Y RWSIAID

GROUP STAGE
GEMAU GRŴP

Monday, 20 June,
Stadium Municipal,
Toulouse
Dydd Llun, 20 Mehefin,
Stadium Municipal,
Toulouse

 RUSSIA 0

 WALES 3
Ramsey (11), Taylor (20), Bale (67)

Wales swept past Russia with a brilliant display in our final group game to reach the knockout stages in style.

The 3-0 win in Toulouse ensured Chris Coleman's team finished top of Group B after England were held to a goalless draw with Slovakia.

Wales took the lead in the 11th minute after Joe Allen's defence-splitting pass to Aaron Ramsey, who coolly dinked the ball over the onrushing Igor Akinfeev.

Neil Taylor doubled the lead a few minutes later when he found himself unmarked at the far post following Gareth Bale's run from deep, and the left-back fired home at the second time of asking after seeing his first effort saved.

Bale was a menace throughout and he wrapped up the victory midway through the second half, poking the ball past Akinfeev after good work by Ramsey. The supporters were jubilant and, as news filtered through of England's stalemate, chants of "we are top of the league" reverberated around the stadium on a famous evening for Welsh football.

Russia/Rwsia: Akinfeev, Smolnikov, Ignashevich, V Berezutski (A Berezutski 46), Kombarov, Glushakov, Mamaev, Smolov (Samedov 70), Shirokov (Golovin 52), Kokorin, Dzyuba

Booked/Cerdyn melyn: **Mamaev**

Wales/Cymru: Hennessey, Gunter, Chester, A Williams, Davies, Taylor, Ledley (King 76), Allen (Edwards 74), Ramsey, Bale (Church 83), Vokes

Booked/Cerdyn melyn: **Vokes**

	RWSIA	0
	CYMRU *Ramsey (11), Taylor (20), Bale (67)*	**3**

Enillodd Cymru ei gêm yn erbyn Rwsia i gyrraedd yr 16 olaf gyda pherfformiad hynod.

Roedd y fuddugoliaeth o 3-0 yn Toulouse yn golygu bod tîm Chris Coleman yn gorffen ar frig Grŵp B ar ôl gêm gyfartal ddi-sgôr i Loegr yn erbyn Slofacia.

Aeth Cymru ar y blaen ar ôl 11 munud ar ôl i Joe Allen hollti'r amddiffyn a phasio at Aaron Ramsey a gadwodd ei ben i godi'r bêl dros ben Igor Akinfeev. Dyblodd Neil Taylor y fantais ychydig funudau'n ddiweddarach pan ffeindiodd ei hun heb unrhyw un yn ei farcio ar y postyn pellaf yn dilyn rhediad o bell gan Gareth Bale ac ar yr ail gynnig daeth o hyd i gefn y rhwyd ar ôl i golwr Rwsia arbed ei gynnig cyntaf.

Roedd Bale yn beryglus drwy gydol y gêm ac fe sicrhaodd y fuddugoliaeth hanner ffordd drwy'r ail hanner, gan ergydio'r bêl heibio Akinfeev ar ôl gwaith da gan Ramsey.

Roedd y cefnogwyr wrth eu boddau, ac wrth i'r newyddion am gêm gyfartal Lloegr dreiddio drwy'r stadiwm, roedd y cefnogwyr yn gallu bloeddio ein bod ni ar y brig, ar noson hanesyddol arall i bêl-droed Cymru.

113

"It's nice, you don't often get games like that where it's so comfortable. It's unbelievable to score my first Wales goal in the Euros. I did my best to miss it but scored at the second attempt. You could see the energy sap out of them when we scored our second and third goals."

NEIL TAYLOR

"Mae'n braf, anaml iawn gewch chi gemau fel yna pan mae pethau mor gyfforddus. Mae'n anhygoel i sgorio fy ngôl gynta i Gymru yn yr Euros. Fe wnes i fy ngorau i fethu ond aeth hi i mewn yr eildro. Roeddech chi'n gallu gweld eu hegni nhw'n pylu pan wnaethon ni sgorio'r ail a'r drydedd gôl."

NEIL TAYLOR

"It was a fantastic feeling to score. We've been waiting a long time to be here. We wanted to stand up and be recognised. Against England the occasion maybe got to us in possession. Tonight we wanted to work on that and we passed it brilliantly and could have scored more. Our main target was to get out of the group. To finish top is a fantastic feeling. Hopefully we've made the fans proud. Now we are through, we want to see how far we can go."

AARON RAMSEY

"Roedd hi'n deimlad anhygoel i sgorio. Rydyn ni wedi bod yn aros cyhyd i fod yma. Roedden ni am sefyll ar ein traed a chael ein cydnabod. Yn erbyn Lloegr, efallai roedd pwysau'r achlysur yn ormod pan oedd y bêl yn ein meddiant. Heno, roedden ni am weithio ar hynny a llwyddo ac fe allen ni fod wedi sgorio mwy. Ein prif nod ni oedd cael allan o'r grŵp. Mae gorffen ar frig y grŵp yn deimlad anhygoel. Gobeithio bod y cefnogwyr yn falch ohonom. Nawr ein bod ni drwodd, rydyn ni am weld pa mor bell allwn ni fynd."

AARON RAMSEY

RAISING THE BAR
CODI'R TO

Our fans helped the team by singing their hearts out in France. Here are just a few of the songs that were belted out from the stands...

Rhoddodd ein cefnogwyr help llaw i'r tîm drwy ganu o'r galon allan yn Ffrainc. Dyma rhai o'r caneuon gafodd eu bloeddio o'r eisteddle...

DON'T TAKE ME HOME

(Roughly to the tune of Achy Breaky Heart by Billy Ray Cyrus)

Don't take me home
Please don't take me home
I just don't wanna go to work
I wanna stay here
And drink all your beer
Please don't, please don't take me home

CHRIS COLEMAN HAD A DREAM

(To the tune of Sloop John B by The Beach Boys)

Chris Coleman had a dream
To build the national team
We had no strikers so we played with five at the back (five at the back)
With Bale in attack
With Bale in attack
Watch out Europe, we're on our way back!

ASHLEY/ JONNY WILLIAMS

Ashley, Ashley, Ashley
Ashley, Ashley
Ashley, Ashley Williams
Jonny, Jonny, Jonny
Jonny, Jonny
Jonny, Jonny Williams

JOE LEDLEY

(To the tune of Ain't Nobody by Chaka Khan)

Ain't nobody like Joe Ledley
Makes me happy, makes me feel this way
Ain't nobody like Joe Ledley
Makes me happy, makes me feel this way

HAL ROBSON-KANU

(To the tune of Push It by Salt-N-Pepa)

Hal! Robson! Hal Robson-Kanu
Hal! Robson! Hal Robson-Kanu

GARETH BALE

(To the tune of Give It Up by KC and The Sunshine Band)

Na, na, na, na, na, na, na, na, na, na, na
Gareth, Gareth Bale
Gareth Bale
Gareth, Gareth Bale
Na, na, na, na, na, na, na, na, na, na, na
Gareth, Gareth Bale
Gareth Bale
Gareth, Gareth Bale

AARON RAMSEY

(To the tune of Don't You Want Me by The Human League)

Aaron Ramsey baby
Aaron Ramsey oooooh
Aaron Ramsey baby
Aaron Ramsey oooooh

JOE ALLEN

(To the tune of Gimme Hope Jo'anna by Eddy Grant)

Give me hope Joe Allen
Give me hope Joe Allen
Give me hope before the morning comes
Give me hope Joe Allen
Give me hope Joe Allen
Give me hope before the morning comes

MAE HEN WLAD FY NHADAU

Mae hen wlad fy nhadau yn annwyl i mi
Gwlad beirdd a chantorion, enwogion o fri
Ei gwrol ryfelwyr, gwladgarwyr tra mâd
Dros ryddid collasant eu gwaed

Gwlad, gwlad, pleidiol wyf i'm gwlad
Tra môr yn fur i'r bur hoff bau
O bydded i'r heniaith barhau

CALON LÂN

Calon lân yn llawn daioni
Tecach yw na'r lili dlos
Dim ond calon lân all ganu
Canu'r dydd a chanu'r nos

THE NEXT **TEST**
Y **PRAWF** NESAF

"We all enjoyed the moment in the dressing room. It's an opportunity that I don't think we dreamed we'd get and one that perhaps won't come around very often in our careers. So I think we'll enjoy it because we're somewhere we perhaps didn't expect to be. But we've got a real opportunity now to do something even better. Northern Ireland have done exceptionally well to get to where they have done and to go on a 12-game unbeaten run shows how organised they are and how difficult they are to play against."

JAMES CHESTER

"Fe wnaethon ni gyd fwynhau'r foment yn yr ystafell newid. Mae'n gyfle dw i ddim yn credu ein bod wedi gallu dychmygu y byddai'n dod i'n rhan, ac yn un na fydd yn digwydd yn aml yn ein gyrfaoedd. Ond mae ganddon ni gyfle gwirioneddol nawr i wneud hyd yn oed yn well. Mae Gogledd Iwerddon wedi gwneud yn rhagorol i gyrraedd y pwynt yma ac mae eu rhediad o 12 gêm fuddugol yn dangos pa mor drefnus ydyn nhw a pha mor anodd yw hi i chwarae yn eu herbyn."

JAMES CHESTER

"We knew it was going to be an ugly match. Northern Ireland made it difficult to play – there was not much space up front. We worked hard, we did everything we could. We knew a goal would nick the game and thankfully it came to us. "

GARETH BALE

"Roedden ni gyd yn gwybod y byddai'n gêm hyll. Fe wnaeth Gogledd Iwerddon hi'n anodd iawn i ni chwarae – doedd dim llawer o le yn y blaen. Fe weithion ni'n galed, fe wnaethon ni bopeth posib. Roedden ni'n gwybod y byddai un gôl yn ddigon yn y gêm hon a diolch byth daeth y gôl yna i ni."

GARETH BALE

Supporters celebrate our win over Northern
Ireland at the Cooper's Field fan zone in Cardiff

Cefnogwyr yn dathlu ein llwyddiant dros
Ogledd Iwerddon yn ardal cefnogwyr
Cae Cooper yng Nghaerdydd

"We showed a lot of heart and courage. The good thing about these boys when we're not playing well is that they have spirit. And at times we were hanging on. I'd rather be standing here in the quarter-final not playing at our best. We have to give credit to Northern Ireland – they made it very difficult to play against."

CHRIS COLEMAN

"Fe wnaethon ni ddangos tipyn o angerdd a dewrder. Y peth da am y bois yw pan nad ydyn ni'n chwarae'n dda, mae eu hysbryd nhw'n dda er hynny. Ac ar adegau, roedden ni'n ei chael hi'n anodd iawn. Mae'n well gen i fod yn sefyll yma yn rownd yr wyth olaf a'n bod ni heb chwarae'n gorau. Rhaid canmol Gogledd Iwerddon – roedd hi'n anodd chwarae yn eu herbyn."

CHRIS COLEMAN

THE **JOURNEY** CONTINUES
MAE'R **DAITH** YN PARHAU

MATCH MADE IN **HEAVEN**
GEM **NEFOEDD**

WALES CYMRU

BELGIUM GWLAD BELG

QUARTER-FINAL
ROWND
GOGYNDERFYNOL

Friday, 1 July,
Pierre Mauroy,
Lille
Dydd Gwener,
1 Gorffennaf,
Parc des Princes,
Paris

"Words fail me. I never thought we'd be in this position. What an achievement. This means so much to everyone. We knew we'd score. Once we got level, everyone was confident we'd go on to win. We never give up. It will take something special to stop us. The emotions that the fans stir up in the lads, and vice-versa, that's what football is all about."

JOE ALLEN

"Does yna ddim geiriau. Feddyliais i erioed y byddwn ni yn cyrraedd fan hyn. Mae'n llwyddiant aruthrol. Mae hyn yn golygu gymaint i bawb. Roedden ni'n gwybod y bydden ni'n sgorio. Unwaith i ni ddod yn gyfartal, roedd pawb yn hyderus y bydden ni'n mynd ymlaen i ennill. Bydd rhaid i rywbeth arbennig iawn ein trechu ni. Yr emosiwn mae'r cefnogwyr yn ei hysgogi yn y chwaraewyr ac fel arall – dyma ystyr pêl-droed go iawn."

JOE ALLEN

"I'm really happy for Sam Vokes. He doesn't always start but he always turns up and works so hard. For Ashley Williams, he doesn't score many, but what a leader. Hal Robson-Kanu, wow, what a performance. Don't be afraid to have dreams. Four years ago I was as far away from this as you could imagine. I've had more failures than successes but I'm not afraid to fail. We deserve this."

CHRIS COLEMAN

"Dw i mor falch dros Sam Vokes. Nid yw'n dechrau'r gêm bob tro, ond mae wastad yno ac mae'n gweithio'n galed iawn. Ashley Williams hefyd – dyw e ddim yn sgorio llawer, ond am arweinydd. Hal Robson-Kanu, wow, am berfformiad. Peidiwch ag ofni breuddwydio. Bedair blynedd yn ôl roeddwn i mor bell i ffwrdd o fan hyn ag y gallwch chi ddychmygu. Dw i wedi cael mwy o fethiant nag o lwyddiant, ond does gen i ddim ofn methu. Rydyn ni'n haeddu hyn."

CHRIS COLEMAN

Jubilant supporters at the Cooper's Field fan zone celebrate a Wales goal against Belgium

Cefnogwyr yng Nghaerdydd yn dathlu gôl yn erbyn Gwlad Belg

HISTORY MAKERS
CREU HANES

We've been
to the wire
and prevailed

PORTUGAL　　　　　　　　　　　**2**
Ronaldo (50), Nani (53)

WALES　　　　　　　　　　　　**0**

Wales' remarkable run at Euro 2016 came to an end as Cristiano Ronaldo inspired Portugal to victory in the semi-final.

The Real Madrid star scored one and set up another to defeat Chris Coleman's side, who were without both Aaron Ramsey and Ben Davies through suspension.

James Collins replaced Davies, throwing his body around to clear a number of crosses sent into the area, but Wales missed Ramsey's energy and creativity in midfield, with few shots coming from either team during a cagey first-half.

The game burst into life after the break when Portugal struck twice in three minutes. Ronaldo broke the deadlock with a magnificent header before his shot from 25 yards was diverted past Wayne Hennessey by Nani.

Coleman threw on Sam Vokes, Simon Church and Jonny Williams to get Wales back into the game, but the Portugal defence held firm to secure their passage to the final.

The Wales fans were in full voice after the final whistle as they showed their appreciation for a team that had given everything.

It was the end of an incredible adventure, but one that would never be forgotten.

Portugal/Portiwgal: Rui Patricio, Cedric, Alves, Fonte, Guerreiro, Danilo, Joao Mario, Sanches (Gomes 74), A Silva (Moutinho 79), Nani (Quaresma 86), Ronaldo

Booked/Cerdyn melyn: Alves, Ronaldo

Wales/Cymru: Hennessey, Gunter, Chester, A Williams, Collins (J Williams 66), Taylor, Allen, Ledley (Vokes 58), King, Robson-Kanu (Church 63), Bale

Booked/Cerdyn melyn: Allen, Chester, Bale

	PORTIWGAL	2
	Ronaldo (50), Nani (53)	

	CYMRU	0

Daeth rhediad anhygoel Cymru ym mhencampwriaeth Euro 2016 i ben wrth i Cristiano Ronaldo arwain Portiwgal i'w buddugoliaeth yn y gêm gynderfynol.

Sgoriodd seren Real Madrid gôl a chreu un arall i drechu tîm Chris Coleman a oedd heb Aaron Ramsey a Ben Davies yn dilyn eu gwaharddiad. Daeth James Collins i lenwi bwlch Davies, gan daflu'i gorff o gwmpas i glirio sawl croesiad, ond roedd Cymru yn gweld eisiau egni a chreadigrwydd Ramsey yng nghanol cae, a phrin oedd nifer yr ergydion at y gôl gan y naill dîm a'r llall yn ystod hanner cyntaf llawn tyndra.

Daeth y gêm yn fyw ar ôl y toriad pan sgoriodd Portiwgal ddwywaith mewn tair munud. Ronaldo fu'n gyfrifol am roi Portiwgal ar y blaen gyda pheniad anhygoel cyn i Nani gyfeirio ergyd Ronaldo o 25 llath heibio Wayne Hennessey i gefn y rhwyd. Anfonodd Coleman Sam Vokes, Simon Church a Jonny Williams ymlaen o'r fainc i geisio dod â Chymru yn ôl mewn i'r gêm, ond daliodd amddiffynwyr Portiwgal eu tir i sicrhau eu lle yn y gêm derfynol. Hwn oedd diwedd y daith, ond bu'n antur fythgofiadwy.

179

"I'm immensely proud of the players. It's incredible what they've done and how they've performed. To get here is amazing, but the nature of how they've achieved that, too. You can only ask someone to give their best. You win or you lose. If you lose and you've given your best, that's how it goes. But I've told the players this isn't the end. I'm prouder of this team than any other team I've been involved in."

CHRIS COLEMAN

"Dw i'n hynod falch o'r chwaraewyr. Mae'r hyn maen nhw wedi'i gyflawni yn anhygoel, a'r ffordd y maen nhw wedi perfformio. Roedd cyrraedd yma yn wych, ond mae'r ffordd maen nhw wedi cyflawni hynny yn wych hefyd. Gallwch chi ond gofyn i rywun wneud ei orau. Rydych chi'n ennill neu'n colli. Os ydych chi'n colli ar ôl rhoi o'ch gorau, fel 'na mae. Ond dw i wedi dweud wrth y chwaraewyr, nad dyma'r diwedd. Dw i'n fwy balch o'r tîm hwn nag unrhyw dîm arall dw i wedi bod yn gysylltiedig ag e."

CHRIS COLEMAN

"We are hoping that this story and journey we have been on will change Welsh football forever. We have to use this experience as a springboard, we don't want this to be a one-off, we want this to be what inspires us to do it again and again. With the quality we have got in the team, we are confident we will do that."

JOE ALLEN

"Rydyn ni'n gobeithio bydd y stori yma a'r daith rydyn ni gyd wedi'i gwneud yn newid pêl-droed Cymru am byth. Rhaid i ni ddefnyddio'r profiad hwn fel man cychwyn, dydyn ni ddim am i hyn fod yn ddigwyddiad un tro, rydyn ni am i hyn fod yn rhywbeth i'n hysbrydoli ni i wneud hyn dro ar ôl tro."

JOE ALLEN

"It's very disappointing to be so close to the final but we have to be proud. This is a proud moment for us, we have achieved a lot. We had pride and passion. The fans are the best in the world by far. We've had a taste of it now and we look forward to the future. We have confidence. We don't want to turn up to one tournament, it's about the bigger picture."

GARETH BALE

"Mae'n siomedig i fod mor agos at y gêm derfynol, ond mae'n rhaid i ni ymfalchïo. Mae'n foment o falchder i ni, rydyn ni wedi cyflawni llawer. Roedd balchder ac angerdd ganddon ni. Ein cefnogwyr yw'r gorau yn y byd heb os. Rydyn ni wedi cael blas ar hyn ac rydyn ni'n edrych ymlaen at y dyfodol. Mae hyder ganddon ni. Dydyn ni ddim am ymddangos mewn un bencampwriaeth, mae hyn yn ymwneud â'r darlun ehangach."

GARETH BALE

187

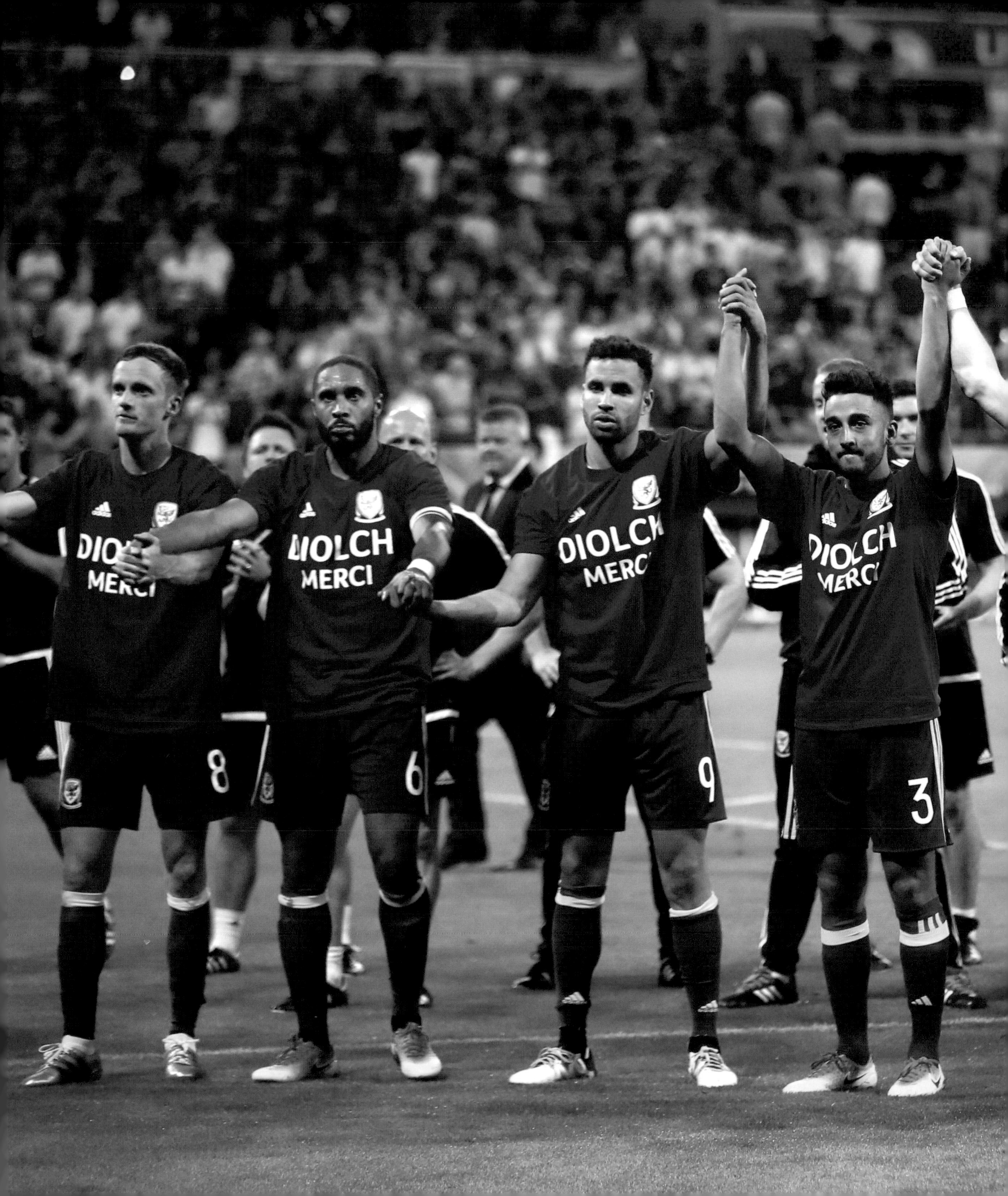

DIOLCH
MERCI
DIOLCH
MERCI
DIOLCH
MERCI
DIOLCH
MERCI

WELCOME FIT FOR HEROES

CROESO'R **ARWYR** ADREF

Wales' stars returned to a spectacular homecoming as the nation saluted their remarkable success at Euro 2016. Tens of thousands of people lined the streets of the capital as the squad travelled on an open-top bus to the Cardiff City Stadium, where a huge party featuring a performance from the Manic Street Preachers took place

Dychwelodd sêr Cymru i ddathliad arbennig wrth i'r genedl gyfan eu croesawu adref gan ddiolch iddynt am eu llwyddiant nodedig yn Euro 2016. Daeth degau o filoedd i strydoedd y brifddinas wrth i'r garfan deithio ar fws to agored i Stadiwm Dinas Caerdydd ble roedd parti mawreddog gyda pherfformiad gan Manic Street Preachers yn cael ei gynnal

BUILDING A BRIGHT FUTURE

ADEILADU **DYFODOL** DISGLAIR

Our glorious run at Euro 2016 captured the imagination of the public, bringing a huge opportunity to develop the game in Wales, and much work is taking place behind the scenes to ensure the tournament leaves a lasting legacy and Welsh football continues to progress

Fc wnaeth ein cyfnod gogoneddus yn Euro 2016 lwyddo i ddal dychymyg y cyhoedd, gan ddod â chyfle enfawr i ddatblygu'r gêm yng Nghymru, ac mae llawer o waith yn cael ei wneud tu ôl i'r llenni i sicrhau bod y twrnamaint yn gadael etifeddiaeth barhaol a phêl-droed Cymru yn parhau i wneud cynnydd

Our success at Euro 2016 was the result of many years of sweat, commitment and dedication by everyone involved with the national team.

But the hard work has really only just begun.

That's because Welsh football chiefs are determined to harness the power of the Euros to ensure the game here continues to go from strength to strength – from the top, right down to the grassroots.

In the same manner that the Grand Slam winning exploits of Wales' rugby heroes in the 1970s created a fresh wave of interest and a generation of new fans, the efforts of Chris Coleman's side in France have done the same.

The most important message to come out of Wales' wonderful month on the continent is how it has the potential to lead on to bigger and better things.

"This can't be a one-off," says Football Association of Wales chief executive Jonathan Ford. "I think we should be saying to ourselves that we should be expecting qualification for the European Championships every time and we need to be competitive and get to the World Cup, too."

Significant improvements have already been taking place off the field. The state-of-the-art national football development centre in Newport, Dragon Park, opened in 2013 and provides a world-class environment to bring through the next generation of Welsh heroes. Reaching the semi-finals of Euro 2016 also earned the governing body a tournament profit of £3 million, and a large share of that will go towards the ongoing creation of 3G pitches and community football facilities.

"We're a non-profit organisation so everything we make goes back into the game," says Jonathan. "Facilities are costly but one of the legacies of the Euros is that they are going to improve across the country.

"My job is to ensure we really do protect and enhance what we've managed to achieve. People make businesses really complicated but it's actually really simple. We want to promote the game, develop the game and protect the game.

"We have to make sure that any child who wants to pick up a football rather than a rugby ball has the means to be encouraged to play and coached properly so they will stay hooked on the sport for life."

In essence, the building blocks have been put in place to ensure that Euro 2016 was merely the start of Wales' crusade on the international stage while also ensuring that young players, of all ages and backgrounds, get the opportunity to play the sport as often as possible.

Neil Ward, chief executive of the FAW Trust, which is responsible for the development of the game in Wales, says: "The tournament was the catalyst to further support and drive forward all our activities in the grassroots game to ensure all young people have the opportunity to play the game.

"That means providing the opportunities for more coaches and parents to become involved and we also want to continue to raise the coaching standards across the country. Improving participation at grassroots level is such an important goal and we have put several programmes in place to ensure that happens."

Wales' assistant manager and technical director Osian Roberts oversees a training session for our Under-16s at Dragon Park

Indeed they have. The FAW Trust has established three legacy initiatives that are designed to harness the upsurge in football interest sparked by the success of Coleman's squad.

The Lidl 'Play More Football' programme – designed, developed and delivered by young people for young people – aims to nurture a new generation of coaches and leaders. Over the course of three years, The FAW Trust will be working with 100 schools to train 1,000 leaders and provide 10,000 participation opportunities for young people.

In conjunction with McDonald's, the Trust will also stage more than 100 'Community Football Days' to recruit players and volunteers into local clubs in all parts of the country.

Finally, the new FAW 'Cwpan y Bobl' five-a-side tournament is a national competition for the growing number of players who are regularly enjoying this flexible format of the game.

In addition, the Trust works with clubs up and down the country to ensure that correct coaching and proper facilities are provided to give everybody the best chance of fulfilling their footballing potential.

Neil believes the commitments will lead to future success – at all levels.

"Having an international 'shop window' like Euro 2016 has been hugely important because it stimulates interest, particularly amongst those who have not played the game before," he says. "Now it is about us making sure we have the right activities to capture that enthusiasm.

"Those who were not playing before are more likely to play and those already playing are likely to continue. It's about putting that pathway in place which helps people progress from the local park, whether a boy, girl or somebody with a disability.

"There's still work to be done but the pathway is in place to give young players the opportunity to progress from the grassroots through our development squads to international teams.

"The stepping stones have emerged over a number of years and they are already delivering. Twelve of the squad in France had come through our structures in the past 10 years. We are proud of that and we want more of it in the years to come."

As well as being involved in Welsh football on a professional level, Ward is first and foremost a huge fan of the national side and he manages to perfectly encapsulate what Euro 2016 was all about and what it meant to the nation.

"This is my 17th year of working in Welsh football and I've suffered through the thin and the thin! I've suffered the regular disappointments that everybody else has suffered so to be in France and be part of that wonderful celebration, and part of a tournament that not only put Welsh football on the map but but the whole of Wales on the world map, was something that we can all be hugely proud of.

"The way the players conducted themselves and the way the fans got behind them with the 'red wall' is something that will live with me for ever. It was a huge privilege to be part of it."

Ford agrees and says he too will remember Euro 2016 forever, like the rest of us.

"It is only football, yes. But our strategy is called 'Football: More Than A Game' and what happened in Wales was more than about football. It captured the nation's pride, the nation's belief, the nation's patriotism – it transcended football, it transcended sport and it became about this nation's pride. It was an incredible effort and an incredible time."

"The stepping stones have emerged over a number of years and they are already delivering. Twelve of the squad in France had come through our structures in the past 10 years. We are proud of that and we want more of it in the years to come."

213

Osian Roberts yn cynnal cyfarfod tîm cyn gêm Dan 16. Tudalen gyferbyn, Jonathan Ford a Neil Ward o Ymddiriedolaeth CBDC

Mae ein llwyddiant yn Euro 2016 yn ganlyniad blynyddoedd lawer o chwys, ymrwymiad ac ymroddiad gan bawb sydd ynghlwm gyda'r tîm cenedlaethol.

Ond megis dechrau mewn gwirionedd mae'r gwaith caled.

Mae hynny oherwydd bod penaethiaid pêl-droed Cymru yn benderfynol o harneisio grym y Ewros er mwyn sicrhau bod y gêm yma yn parhau i fynd o nerth i nerth – o'r brig i lawr hyd lawr gwlad.

Yn yr un modd y gwnaeth llwyddiannau buddugol Camp Lawn arwyr rygbi Cymru yn y 1970au greu ton newydd o ddiddordeb a chenhedlaeth o gefnogwyr newydd, mae ymdrechion ochr Chris Coleman yn Ffrainc wedi gwneud yr un peth. Y neges bwysicaf i ddod allan o fis bendigedig Cymru ar y cyfandir yw sut mae ganddo'r potensial i arwain at bethau mwy a gwell.

"Ni all hyn fod yn ddigwyddiad unigryw," meddai Prif Weithredwr Cymdeithas Bêl-droed Cymru Jonathan Ford.

"Rwy'n credu y dylem fod yn dweud wrth ein hunain ein bod yn disgwyl cymhwyso ar gyfer y Pencampwriaethau Ewropeaidd bob tro ac mae angen inni fod yn gystadleuol a chyrraedd Cwpan y Byd hefyd."

Mae gwelliannau sylweddol eisoes wedi'u cynnal oddi ar y cae. Fe agorodd canolfan ddatblygu pêl-droed cenedlaethol gyda'r cyfleusterau diweddaraf yng Nghasnewydd, Parc y Ddraig, yn 2013 ac mae'n darparu amgylchedd gyda'r gorau yn y byd-eang ar gyfer magu'r genhedlaeth nesaf o arwyr Cymreig. Fe wnaeth cyrraedd y rownd gyn-derfynol Ewro 2016 ddod ag elw twrnamaint o £3 miliwn i'r corff llywodraethol a bydd cyfran fawr o hwnnw yn mynd tuag at y greadigaeth barhaus o gaeau 3G a chyfleusterau pêl-droed cymunedol.

"Rydym yn sefydliad di-elw felly mae popeth a wnawn yn mynd yn ôl i mewn i'r gêm," meddai Jonathan. "Mae cyfleusterau'n gostus ond un o gymynroddion yr Euros yw ei bod yn mynd i'w gwella ar draws y wlad.

"Fy ngwaith i yw sicrhau ein bod yn wir yn diogelu a gwella yr hyn yr ydym wedi llwyddo i gyflawni. Mae pobl yn gwneud busnesau yn bethau cymhleth ond mewn gwirionedd mae'n syml iawn. Rydym am hyrwyddo'r gêm, datblygu'r gêm ac amddiffyn y gêm.

"Mae'n rhaid i ni sicrhau bod unrhyw blentyn sydd eisiau codi pêl-droed yn hytrach na phêl rygbi i fyny yn cael y modd i gael ei annog i chwarae ac yn derbyn hyfforddiant iawn, felly byddant yn parhau i fod wedi gwirioni ar y gamp am oes."

Yn ei hanfod, mae'r blociau adeiladu wedi cael eu rhoi ar waith i sicrhau mai dechrau yn unig oedd Euro 2016 i ymgyrch Cymru ar y llwyfan rhyngwladol tra hefyd yn sicrhau bod chwaraewyr ifanc, o bob oed a chefndir, yn cael y cyfle i chwarae'r gamp mor aml â phosibl.

Neil Ward, Prif Weithredwr Ymddiriedolaeth CPC, sydd y gyfrifol am ddatblygiad y gêm yng Nghymru.

Meddai: "Roedd y twrnamaint yn gatalydd i ddatblygu cefnogaeth ac i yrru ein holl weithgareddau ymhellach yn y gêm ar lawr gwlad i sicrhau bod pob pobl ifanc yn cael y cyfle i chwarae'r gêm.

"Mae hynny'n golygu darparu cyfleoedd ar gyfer mwy o hyfforddwyr a rhieni i gymryd rhan ac rydym hefyd am barhau i godi safonau hyfforddi ar draws y wlad. Mae gwella cyfranogiad ar lawr gwlad yn nod mor bwysig ac rydym wedi rhoi nifer o raglenni ar waith i sicrhau bod yn digwydd."

"Mae'r cerrig camu wedi dod i'r amlwg dros nifer o flynyddoedd ac maen nhw eisoes wedi dechrau dwyn ffrwyth. Fe ddaeth deuddeg o garfan Ffrainc drwy ein strwythurau dros y 10 mlynedd ddiwethaf. Rydym yn falch o hynny ac eisiau mwy o hynny yn y blynyddoedd i ddod."

Yn wir maent wedi. Mae Ymddiriedolaeth CBDC wedi sefydlu tri o fentrau etifeddiaeth sydd wedi'u cynllunio i fanteisio ar yr twf mewn diddordeb pêl-droed sydd wedi ei sbarduno gan lwyddiant y garfan Coleman.

Mae rhaglen 'Play More Football' Lidl – wedi'i chynllunio, datblygu a'i darparu gan bobl ifanc ar gyfer pobl ifanc – yn anelu at feithrin cenhedlaeth newydd o hyfforddwyr ac arweinwyr.

Dros gyfnod o dair blynedd, bydd yr Ymddiriedolaeth CBDC yn gweithio gyda 100 o ysgolion i hyfforddi 1,000 o arweinwyr a darparu 10,000 cyfleoedd cyfranogi ar gyfer pobl ifanc.

Ar y cyd â McDonald's, bydd yr Ymddiriedolaeth hefyd yn llwyfannu mwy na 100 o 'Ddyddiau Pêl-droed Cymunedol' i recriwtio chwaraewyr a gwirfoddolwyr mewn clybiau lleol ym mhob rhan o'r wlad.

Yn olaf, mae twrnamaint 'Cwpan y Bobl' newydd pump-bob-ochr CBDC yn gystadleuaeth genedlaethol ar gyfer y nifer cynyddol o chwaraewyr sydd yn mwynhau fformat hyblyg hon o'r gêm yn rheolaidd.

Yn ogystal, mae'r Ymddiriedolaeth yn gweithio gyda chlybiau i fyny ac i lawr y gwlad i sicrhau bod hyfforddiant a chyfleusterau priodol cael eu darparu yn gywir i roi'r cyfle gorau i bawb gyflawni eu potensial pêl-droed.

Cred Neil yw y bydd yr ymrwymiadau yn arwain at lwyddiant yn y dyfodol – ar bob lcfel.

"Mae cael 'ffenestr siop' rhyngwladol fel Euro 2016 wedi bod yn hynod bwysig oherwydd ei fod yn ysgogi diddordeb yn enwedig ymhlith y rhai nad ydynt wedi chwarae'r gêm o'r blaen," meddai.

"Nawr, mae rhaid i ni sicrhau bod gennym y gweithgareddau iawn i ddal y brwdfrydedd hwnnw.

"Mae'r rhai nad oeddent yn chwarae cyn hyn yn debygol o chwarae a'r rhai sydd eisoes yn chwarae yn debygol o barhau. Mae rhaid rhoi'r y llwybr ar waith sy'n helpu pobl ifanc i symud ymlaen o'r parc lleol, boed yn fachgen, merch neu rywun gydaanabledd. Mae gwaith dal i'w wneud ond mae'r llwybr mewn lle i roi cyfle i bobl ifanc symud ymlaen o'r lefel llawr gwlad drwy ein sgwadiau datblygu i dimau rhyngwladol.

"Mae'r cerrig camu wedi dod i'r amlwg dros nifer o flynyddoedd ac maen nhw eisoes wedi dechrau dwyn ffrwyth. Fe ddaeth deuddeg o garfan Ffrainc drwy ein strwythurau dros y 10 mlynedd ddiwethaf. Rydym yn falch o hynny ac eisiau mwy o hynny yn y blynyddoedd i ddod."

Yn ogystal â bod yn rhan o bêl-droed Cymru ar lefel broffesiynol lefel, mae Ward mwy na dim yn gefnogwr mawr o'r tîm cenedlaethol ac mae'n llwyddo i grynhoi'n berffaith beth oedd Euro 2016 yn ei olygu i'r genedl.

"Dyma fy 17eg mlynedd o weithio ym mhêl-droed Cymru ac rwyf wedi dioddefodd drwy'r adegau caled a'r rhai caled! Rwyf wedi dioddef y siomedigaethau rheolaidd y mae pawb arall wedi eu dioddef felly i fod yn Ffrainc a bod yn rhan o'r dathliad gwych hynny, ac yn rhan o twrnamaint sydd nid yn unig yn rhoi pêl-droed Cymru ar y map, ond yn rhoi Cymru gyfan ar fap y byd, yn rhywbeth gallwn i gyd fod yn hynod falch ohono.

"Mae'r ffordd y mae'r chwaraewyr wedi ymddwyn a'r ffordd y gwnaeth cefnogwyr sefyll y tu ôl iddynt yn 'wal goch' yn rhywbeth a fydd yn byw gyda mi am byth. Roedd yn fraint enfawr i fod yn rhan ohono."

Mae Ford yn cytuno ac yn dweud y bydd ef hefyd yn cofio Euro 2016 am byth, fel y gweddill ohonom.

"Dim ond pêl-droed yw e, ie. Ond rydym wedi galw ein strategaeth yn 'Pêl-droed: Mwy na Gêm' ac roedd yr hyn a ddigwyddodd yng Nghymru yn fwy nag am bêl-droed. Roedd wedi dal balchder y genedl, cred y genedl, gwladgarwch y genedl – roedd wedi goresgyn pêl-droed, wedi goresgyn chwaraeon ac fe ddaeth i symboleiddio balchder y genedl hon. Roedd yn ymdrech anhygoel ac yn gyfnod anhygoel."

SCROLL OF HONOUR

Y RHESTR ANRHYDEDD

Compiled from loyal fans who subscribed to Together Stronger. They take their place alongside the Euro 2016 squad

Wedi eu dethol o enwau cefnogwyr wnaeth gefnogi Together Stronger. Meant yn cymryd eu lle ochr yn ochr a charfan Euro 2016

THE PLAYERS
Y CHWARAEWYR

Joe Allen
Gareth Bale
James Chester
Simon Church
James Collins
David Cotterill
Ben Davies
David Edwards
Chris Gunter
Wayne Hennessey
Andy King
Joe Ledley
Aaron Ramsey
Ashley Richards
Hal Robson-Kanu
Neil Taylor
David Vaughan
Sam Vokes
Danny Ward
Ashley Williams
George Williams
Jonny Williams
Owain Fôn Williams

A-D

First name Enw cyntaf	Surname Cyfenw

A

Ben	Abbandonato
Joe	Abbandonato
Sam	Abbandonato
Ian	Abbott
Isaac	Abbott
Noah	Abbott
Hedd	Adams-Lewis
Kirsty	Adams-Lewis
Scott	Aldred
Steve	Aldred
Matthew	Ali
Gavin	Allen
Wesley	Allen
Anthony	Allen
Emilio	Allsopp
James	Andrews
Leanne	Andrews
Megan	Andrews
Curtis	Arms-Williams
Lloyd	Arthur
Tomos	Asan
Daniel	Ashe

B

Matthew	Bailey
Brian Charles	Baker
Lloyd Rhys	Baker
Warren Brian	Baker
George Rees	Baldwin
Matthew Rhys	Baldwin
Lyndon	Banbury
Tim	Banks
Gareth	Barber
Bryn Robert	Barnard
Gareth James	Barnard
Andrew	Barnes
Mark	Barnes
Michael	Barnes
Ffion	Barnett
Gwyneth	Barnett
John	Barnett
Paul	Barnett
Sioned	Barnett

Gerald	Bassett
James	Bassett
Ieuan	Baynham
Hywel	Bees-Jones
Deborah	Bell
Robbie Llywelyn	Bell
Christina	Bellis-Jones
Luca	Bennetta
Ostin	Bennetta
Tom	Bevan
Sanjeev	Bhagotra
Richard	Bishop
Andrew	Blackmore
David	Bond
Gareth	Booy
Ethan	Borkowski
Anthony Purnell	Bradley
Robert	Bradley
Andrew	Bridges
Philip	Bridle
Stefan	Bridle
David	Brown
Kelly-Marie	Brown
Andrew	Brunjes
Garry	Brunjes
Cameron	Bryant
Catherine	Bryant
Richard	Bryant
Geoff	Buckingham
Gareth	Bufton
Matt	Bufton
Matthew	Bullock
Steve	Bumford
Matthew	Bundy
Gavin	Burns
Jane	Butler

C

Gareth	Cardew-Richardson
Nat	Cargius
John	Casey
Rhodri	Cavell
Jonathan	Cawley
Paul	Charles
Michael	Charlish aka Parker
Iola	Cheung
Shelley	Childs
Eifion Williams	Cilmawr

Mike	Clement
Rob	Clement
Sue	Clement
John	Clements
Richard	Cole
Richard	Cole
Angharad	Colinese
Andrew	Collier
Richard	Collier
Nigel	Colston
Steve	Comins
Kurt	Constable
Jonathan	Cooksey
Stuart James	Cooper
Georgia	Cope
Michael	Cope
Gareth Price	Corris
Jonathan	Cottle
Thomas	Coverdale
Ben	Cox
David	Cox
Nicky	Cox
Stuart	Cox
Sam	Crease
Thomas	Crockett
James	Croll
Darren John	Cross
Stephen	Culverwell
Stuart	Cunningham
Phillip	Curtin
Gareth	Curtis

D

Daniel Joseph	Daley
Mike	Dando
John	Daniels
Rhys	Daniels
Stephen Roland	Daulby
Adrian	Davey
Kieren	Davey
Eleri	David
Glyn	David
Pauline	David
Jake Alfie Leuan	David
Alastair	Davies
Alex	Davies
Alun	Davies
Andrew	Davies

Ashley	Davies
Ashley	Davies
Brett	Davies
Bryn	Davies
Chelsea	Davies
Chris	Davies
Darren John	Davies
David John	Davies
Dewi Alun	Davies
Gareth M	Davies
Iwan	Davies
Jac Gwynfor	Davies
Jamie	Davies
Jonathan	Davies
Lewis John	Davies
Matthew Mavis	Davies
Michael Graham	Davies
Nia J	Davies
Nicholas	Davies
Owain	Davies
Patrick James	Davies
Paul	Davies
Rhys Meirion	Davies
Richard John	Davies
Simon	Davies
Sion	Davies
Thomas Alexander	Davies
Tomos Meirion	Davies
Tyrone	Davies
Will J	Davies
Charlotte J	Davies
Gerald	Davies
Jason R	Davies
Matthew Gwyn	Davies
Paul Stephen	Davies
Richard	Davies
Andrew	Dawes
Gethin Emrys	Day
Anna Jenkins	Delf
Graeme	Delf
Andrew Spencer	Delton
John Edward	Denman
Simon	Denman-Ellis
Gareth	Denning
Ross	Dennison
Scott	Dennison
William	Dent
Leighton	Derrick
Fiona	Dodge
Richard	Doody

Justin	Doran
Kelvin	Downey
Millan	Drobac
Stuart	Duff
Dave	Dulin
Laura	Dulin
Richard	Dunn
Kevin	Dupé
Max	Dupé
Rich	Dwyer
Cara	Dyas
Grayson	Dyas
Joshua	Dykes

E

Craig	Edmunds
David	Edmunds
Sidney	Edmunds
Michael	Edwards
Wayne	Edwards
Callum	Ellis
Jacob	Ellis
Jon	Ellis
Luke Anthony	Ellis
Simon	Ellis
Ffion	Emanuel
Gethin	Emanuel
Llyr	Emanuel
Osian	Emanuel
Shaun	England
Alan	Etheridge
Sam	Etheridge
Andrew	Evans
Ben	Evans
Dafydd Llywelyn	Evans
David Emlyn	Evans
David	Evans
David Lee	Evans
Gareth Alun	Evans
Gareth	Evans
Gwyn	Evans
Jack	Evans
Jacob	Evans
John	Evans
Luke William	Evans
Mark	Evans
Matthew	Evans
Rhys	Evans

Rob	Evans
Tomas James	Evans
Wayne	Evans
Christopher Morgan	Evans
Richard Thomas	Evans
Alan	Everitt
Jamie	Everitt
Josh	Everitt
Kyle	Everitt
Nick	Everitt

F

Gerrard	Family
The Medina	Family
The Waters	Family
Bethan Emily	Faulkner
Carolyn	Faulkner
Kevin	Faulkner
David	Fear
Vicky	Fear
Malcolm	Fennah
Stephen	Fennah
Adam	Fielding
Richard	Finch
Ioan	Fisher
Peter	Fisher
Roger	Fisher
Iestyn	Fisher
Katie	Foot
Ray	Found
Barrie	Fowles
John Benjamin	Fox
Richard	Franklin
Simon 'Badger'	Fraser
Thomas	Freeman
Tim	Fry
Nick	Fudge

G

Vernon	Gabriel
Wayne	Gape
Ang	Gartside
Nick	Gartside
Jon	Gauder
Lucas	Gauder
Philippa	Gent
Marcus	Gervaint

G-J

First name Enw cyntaf	Surname Cyfenw
David Morris	Gethin
Janet Patricia	Gethin
Chloe	Gibbs
Callum	Gigg
Eifion Williams	Gilmour
Martyn	Gilvear
Alan James	Gingell
Libby Jane	Gingell
Lloyd James	Gingell
Michaela Aimee	Gingell
Ryan James	Gingell
Rachel	Goodman
Samuel	Goodman
Dylan	Greaves
Emma Christina	Green
Marilyn	Green
Eric	Green
Jacob	Greenway
Jeff	Greenway
Oliver	Greenway
Dion Lloyd	Gregory
Arnold	Griffith
Jonathan	Griffiths
Karen	Griffiths
Mark Biss	Griffiths
Max	Griffiths
Steve	Grima
Haydn	Grindley
Ian	Grindley
Paul	Grindley
Camilla	Gruffudd
Gwydion	Gruffudd
Andreas	Gulotta
Griff	Gurney
Dawn	Gwilliam
Ioan	Gwyn
Rhodri	Gwyn

H

Elin	Haf
Toivo	Haidson
Siôn	Hale
Kirstyn	Hamlin
The	Hammets
Hanne Avin	Hamre Ek

Stefan	Hamre Ek
Howard	Hams
Richard	Harber
Gwion	Harding
Rebeca Ellie	Harries
Samuel Rlys	Harries
Steffan	Harries
Beau	Harris
Jamie	Harris
Mark	Harris
Mel	Harris
Morgan Rhys	Harris
Richard	Harris
Richard Martin Philip	Harris
Leon	Hawkins
Richard	Hawkins
Matthew	Hayes
Janet	Hensey
Ben	Henson
Dan	Henson
David	Hicks
Arran	Higgs
Gemma	Holcroft
Martin	Holcroft
Rhianon	Holley
David John	Holt
Robert	Hooper
Callum	Hopkins
Kevin	Hopkins
Andrew	Howard
Ben	Howard
Beth	Howard
Chris	Howard
Gareth	Howard
Nick	Howard
Robin	Howard
Scott	Howard
Tim	Howard
Oscar	Howell
David L.S	Howells
Jake C	Howells
Xavier Clarke	Howells
Aled Morgan	Hughes
Aled Lloyd	Hughes
Eilian Gwilym	Hughes
Elin Mai	Hughes
Ianto Gruffudd	Hughes
Owain	Hughes
Aled Llyr	Hughes

Aled Sion	Hughes
Brinley	Hughes
Bryn	Hughes
Catrl	Hughes
Chris	Hughes
Clare	Hughes
Dewi	Hughes
Dylan	Hughes
Elen Gwenllian	Hughes
Iola R	Hughes
James	Hughes
Malcolm Douglas	Hughes
Matthew	Hughes
Neil	Hughes
Nicola	Hughes
Oliver	Hughes
Roger	Hughes
Sian Eleri	Hughes
Siôn Wyn	Hughes
William Alan	Hughes
Gareth	Humphreys
Keith 'Humph'	Humphreys
David Leslie	Hunt
Llwyd Tomas	Hurd

J

George D	James
Mark	James
Richard	James
Erin Trysor	James-Lynch
Andrew D	Jamieson
Andy	Jarman
Darren	Jarman
Kev	Jeffereys
Damion 'Bea'	Jefferies
Bethan	Jenkins
Martin	Jenkins
Rob	Jenkins
Kate	Jeremiah
Basque	John
Carl Shadwell	John
Gareth	John
Granville	John
David	Johnson
Ian	Johnson
Lee	Johnson
Morgan	Johnson
Sam Levi	Johnson

J-M

Adam Garth	Jones		Stephen	Jones		Aneurin	Lee

Adam Garth Jones
Adie Jones
Arwel Gareth Jones
Basque Jones
Cai Morris Jones
Carrie Anne Jones
Catrin Sian Jones
Craig Jones
Daniel Tomos Jones
Daniel Rhys Jones
David Elfin Jones
Dylan Elgan a Mared Rhys Jones
Dylan Harri Jones
Emma Louise Jones
Gareth Wyn Jones
Geraint Jones
Hannah E Jones
Hari Edwards Jones
Harys Jones
Heledd Mair Jones
Huw Anwen Jones
Huw Llewelyn Jones
Ifan Jones
Iwan Dafydd Jones
John Gwyn Jones
Julian Jones
Kai Jones
Keiron Jones
Keith Fuzzy Jones
Leighton P Jones
Leighton P Jones
Martyn Geddes Jones
Martyn Vaughan Jones
Morgan Edwards Jones
Osian Arwel Jones
Owen Jones
Paul Carwyn Jones
Paul Carwyn Jones
Paul Serian Mabli Jones
Phil Jones
Philip Jones
Rachel Jones
Rhys Jones
Rhys Evan Jones
Richard Jones
Richie Wrexham Jones
Russell Charles Jones
Simon Jones
Steffan Hedd Jones

Stephen Jones
Tom Rhys Jones
Tomos Rhys Vaughan Jones
Wayne Penbonc Jones
Arry Jones
Barrie Jones
Barry Jones
Bleddyn Jones
Darren Jones
David Mark Jones
David Jones
Elizabeth Jones
Jamie Mark Jones
Llew Fon Jones
Matthew John Jones
Michael Jones
Nathan Jones
Owain Rhys Jones
Peter Wyn Jones
Phil Jones
Raife Jones
Rhydian Huw Jones
Sandy Jones
Sarah Howard Jones
Terry Jones
Xander Jones

K

Rhys Kane
Richard Kelly
Liam Kennedy
Owen Kennedy
Dylan Kidd
Dan Kingston
Paul Kinsey
Ryan Kirby-Jones
Dan Kiss
Sean Knight
Sally Krouma
Harri Kyle

L

Steve Lane
Ian Lawthom
Jared Mac Lawthom
John Leck
Sarah Leck

Aneurin Lee
Dylan Lee
Dai Leek
Adam Leewarden
Rhun Lenny
Alun Rhys Lewis
Darren Lewis
Dave Lewis
Dean Lewis
Geoff Lewis
Harri Lewis
Richard Lewis
Robert Lewis
Scott Lewis
Steve Lewis
Thomas Rhys Lewis
Tomas Rhodri Lewis
Wyn Lewis
Ceri Lewis-Jones
Elin Lewis-Jones
Andrew Lingwood
Donna Linton
Emyr Llew
Catrin Llewelyn
Cian Llewelyn
Dylan Llewelyn
Gwion Llewelyn
Aled Lloyd
Heather Lloyd
Osian Lloyd
Rhodri Lloyd
Rhodri Lloyd-Jones
Steve Lloyd
Gwern Llywelyn
Michael Loder
Steven Logue
Rhys Presdee Loxdale
Ann Luckwell
Gareth Luckwell
Judith Luckwell
Robert Luckwell
Stuart Luckwell

M

Owen Maguire
Sean Mahoney
Tony Mahoney
Tabi Mair

M-P

First name Enw cyntaf	Surname Cyfenw
Philip	Marshall
Philippa	Marshall
Chloe	Martin
David	Martin
Denise	Matthews
Graham	Matthews
Mark	Maybury
Kath	McCubbin
Peter	McElroy
Scott	McGoona
Paul	McKinty
Robert	McKinty
Marcus	McLean
Mo	McNamee
Lauren	McNie
Lisa	Medina
Mark	Medina
Aled	Meredith
Huw	Meredith
Steven	Meredith
Ian	Millington
Lewis	Mitchell
Aled	Morgan
Andrew John	Morgan
Armando	Morgan
Dafydd	Morgan
Dwynwen	Morgan
Lili	Morgan
Luke David	Morgan
Lynne	Morgan
Neil Moggy	Morgan
Owain	Morgan
Wil	Morgan
Jac Thomas	Morris
Owain	Morris
Owen John	Morris
Richard	Morris
Sam	Morris
Shaun	Morris
Simon R	Morris
Wayne	Morris
Ioan Michael	Morris
Matthew	Morris
Andrew	Morton
Martyn	Moses
Sue	Moses
Anthony	Mulhern

Antoinette	Mulhern
Donna	Mulhern
Peter	Mulhern
John	Mullen
Kathleen	Mullen
Cian	Murphy
Michael	Murtadha
Ywain	Myfyr

N

L	Newell
David James	Nicholas
Luke	Nicholas
Rob	Nicholls
Shaun	Nicholls
Robert James	Noblet
Stefan	Nubert
Garmon Siencyn	Nutting

O

Chris	Oatten
Liz	Oatten
David	O'Donnell
Olivia	O'Dwyer
Isabella	O'Hara
Phil	Olyott
Rich	Olyott
Tony Apple	O'Reilly
Peter Martin	Ormond
Ava	Ottery
Millie	Ottery
Brian K	Outlaw
Anna	Owen
Carwyn Rhys	Owen
Dafydd Gethin	Owen
Daniel	Owen
Dewi Rhys	Owen
Ffion Eluned	Owen
Gareth	Owen
Gary	Owen
Harriet	Owen
Iona	Owen
Jake	Owen
John Richard	Owen
John Glyn	Owen
Keith	Owen
Llio Elenid	Owen

Llyr	Owen
Seren	Owen
Stephanie	Owen
Trystan	Owen
Cian Ollie	Owen
John	Owen

P

Alex	Paddison
James	Paddison
Jason	Paddison
Scott	Paddison
Robert	Palmer
Stephen	Palmer
Mark	Parfitt
Llŷr	Parri
Aled Michael Edward	Parry
Chris	Parry
Daniel	Parry
Dylan James	Parry
Hayden Thomas	Parry
Jonathan Andrew	Parry
Kevin Howard	Parry
Michael J	Parry
Olive	Parry
Trystan	Parry
Annette	Parsons
Griff	Pask
Arran	Paton
Peaches Morgan	Peachey
Gareth	Pearce
Mike	Pearce
Stuart	Pearson
Brian	Pennell
Alexander	Perkins
Lewis	Phillips
Matthew	Phillips
Charlie	Philpott
Jamie	Philpott
John Richard	Philpott
Thomas Oliver	Picken
Andrew	Pierce
HefinLlewelyn	Pierce
Adam	Pike
Mark	Pitman
Elliott	Plain
Alan Christopher	Pope
Harri	Postlethwaite

P-T

Alan John	Powell
Ieuan	Powell
Daniel	Price
Alan	Pritchard
David	Pritchard
Ted	Pritchard
Tony	Pucknell
Dylan	Pugh
John	Pugh
Andrew	Purslow
Filip	Pusnik

R

Harry	Randell
Matthew	Rawson
Mark	Reed
Allyson	Rees
Christine Louise	Rees
David A	Rees
Gareth	Rees
Gwilym	Rees
Ian	Rees
Joseph Llywelyn	Rees
Mandy	Rees
Michael	Rees
Owen	Rees
Trevor	Rees
William Lindsay	Rees
Ian Mark	Reese
Dave	Rees-Hughes
Daz	Reynolds
Simon	Rhys-Jones
Chris	Richards
Johnathan	Richards
Mark	Richards
Alaw Llewelyn	Roberts
Aled Vaughan	Roberts
Elfyn	Roberts
Alun	Roberts
Brynskii	Roberts
Derek	Roberts
Elwyn	Roberts
Emlyn John	Roberts
Gerallt	Roberts
Glyn	Roberts
Huw John	Roberts
Jack	Roberts
Lucy Alexandra	Roberts

Luke	Roberts
Meirion	Roberts
Paul	Roberts
Philip	Roberts
Stephen	Roberts
Tudor	Roberts
Margaret	Robertson
Deio	Rogers
Gareth	Rogers
Jac	Rogers
Lewis	Rogers
Sian	Rogers
Tomos	Rogers
Stuart	Ropke
Martyn	Ross
Daniel	Rowberry
Dave	Rowe
Sarah	Rowe
Ann	Rowlands
Mabon Llyr	Rowlands
Colin	Rundle
Gavin	Rutherford
John	Ryan
Millie-Louise	Ryan
Nicholas	Ryan
Nicky	Ryan

S

Richard	Saunders
Connor	Scott
Huw	Selby
Caio ap Llyr	Serw
Des	Shanklin
Evan	Shaw
Owain	Sheppard
Gareth	Sims
Jonathan	Sims
Dane St David	Smith
David Daniel	Smith
Hanna	Smith
Howard	Smith
Peter	Smith
Troy St David	Smith
Cai	Soanes
Steffan	Soanes
Gareth James	Spencer
Alud	Spiller
Queensferry	Sports

Jake	Stacey
Paul and James	Stanley
Kristian	Steffen (Steff)
David M	Stevens
Anakin	Stevens-Jones
Martin	Stockwell
Alan	Strange
Steve 'Suggs'	Sullivan
Trevor	Sullivan
Graeme	Sutcliffe
Jack	Sutcliffe
Catrin	Sykes
Jack	Sykes

T

Ali	Talbot
Colin	Talbot
William Llewellyn	Tamplin
Teal Kyle Mason	Tantrum
Dylan	Taylor
Eifion	Teagle
Gwion Llyr	Tegid
Allan	Thomas
Andrew Daniel John	Thomas
Dan	Thomas
David Luther	Thomas
David Gareth	Thomas
Elin	Thomas
Gareth	Thomas
Goronwy	Thomas
Iestyn	Thomas
Ioan	Thomas
Iola	Thomas
Issac	Thomas
Kurt	Thomas
Luke	Thomas
Marc	Thomas
Owain Rhys	Thomas
Ron	Thomas
Ryan	Thomas
Scott	Thomas
Siôn	Thomas
Siwan	Thomas
John Travis	Thomas
Michelle	Thorne
Louise	Timmons
Cody	Tingle
Gareth	Tingle

T-W

First name / Enw cyntaf	Surname / Cyfenw
Maggie	Titterton
Ian	Totterdell
Aled	Treharne
Corran	Trotter
Steven	Tucker
Gareth	Tucker
Carys	Turner
Grace	Turner
Julie	Turner
Steve	Turner
Cody	Twose

U

Vimal	Upadhyay

V

Bobby	Vaughan
Emile	Vaughan
Ian	Vaughan
Michael	Veasey
James	Verrinder
Joshua-James	Verrinder

W

Danny	Wade
Daniel	Waite
Jamie	Wallace
Peter	Walsh
Richard	Walsh
Stephen	Ward
Russell	Warfield
Trevor	Warfield
Andy	Warham
Irene	Watkins
Mark	Watkins
Paul	Watkins
Alun	Watts
Gareth Huw	Watts
John David	Wedlock
Simon	Westphal
Gareth	White
Kate	White
Jon	Whitehouse

Sam	Whitham
Hannah	Whittle-Davies
Gareth	Wilcox
Kyran	Wilkes
Andrew James	Williams
Anne	Williams
Arwel Wyn	Williams
Brett	Williams
Bryn	Williams
Carwyn	Williams
Christopher Paul	Williams
Christopher	Williams
Cian Owain	Williams
Dale	Williams
Dale Paul Hugh	Williams
Dylan	Williams
Elgar	Williams
Ffion	Williams
Gareth	Williams
Gareth Stephen	Williams
Gareth Evan	Williams
Graham Ford	Williams
Guto Siôn	Williams
Huw Gruffydd	Williams
Iwan Dafydd	Williams
Jack Wynne	Williams
Janice	Williams
John Geraint	Williams
John Michael	Williams
Jonathan	Williams
Justin Owen	Williams
Kenneth Wes	Williams
Kevin	Williams
Leighton	Williams
Martin	Williams
Martin and Susan	Williams
Meilir	Williams
Melissa	Williams
Neil John Hugh	Williams
Nigel	Williams
Owain Rhys	Williams
Paul Andrew	Williams
Rhydian	Williams
Robert Alun	Williams
Ross	Williams
Siôn Lloyd	Williams
Stephen	Williams
Timmy	Williams
Darren A	Williams

Joe	Williams
Keith	Williams
Samuel Richard	Williams
Sion	Williams
Jeremy	Wilson
Nathan	Wilson
Norma	Winston-Jones
Greg	Wonnacott
Andrew	Wood
Stephen	Wood
Julian Karl	Woolridge
Harri	Wyn
Owain Dafydd	Wyn
Kirsty Louise	Wynne
Rhys Jamie	Wynne

Al	
Dave	
Huw	
Gwyn	
GOJ	
Simsy	